Noëlle Samsm

L'anthropologie
n'est pas un sport
dangereux

Voyageurs Payot

Nigel Barley

L'anthropologie n'est pas un sport dangereux

Traduit de l'anglais
par Bernard Blanc

Titre original :

NOT A HAZARDOUS SPORT
(Viking, Londres)

Carte : E & C, Lille.

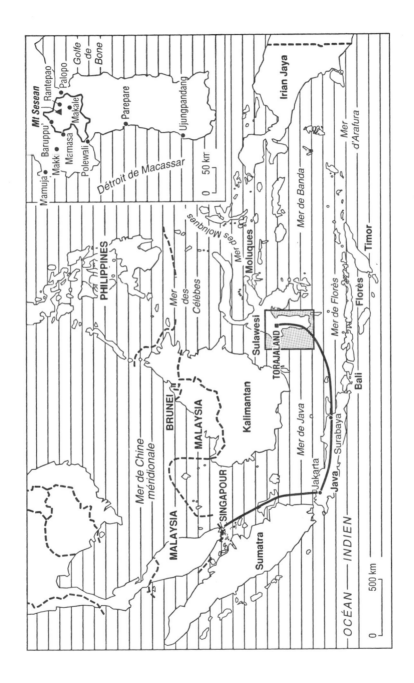

La tradition veut que les anthropologues écrivent sur les autres peuples des monographies académiques. Les auteurs de ces livres austères sont omniscients et leur vision est olympienne. Ils possèdent la formidable faculté de comprendre une société encore mieux que les « indigènes » qui la composent. Ils ne commettent jamais d'erreurs et personne non plus ne peut les tromper. Il n'y a aucune impasse sur les cartes des cultures étrangères qu'ils proposent. Ils sont inaccessibles à l'émotion. Ils ne sont jamais enthousiastes, jamais déprimés. Et surtout, ils n'éprouvent ni amour ni haine pour les gens qu'ils étudient.

Le récit qui suit n'a rien à voir avec de telles monographies. Il parle d'une première tentative de contact avec un « nouveau » peuple — en fait, un « nouveau » continent tout entier. Il raconte les fausses pistes et les incompétences linguistiques, les préjugés battus en brèche et les chausse-trappes où sont tombés l'auteur et bien d'autres. Et surtout, ce ne sont pas les généralisations qui y sont intéressantes, mais les rencontres avec des êtres humains.

D'un strict point de vue anthropologique, celles-ci sont faussées, car elles n'ont pas pour support les différentes langues du pays, mais l'indonésien. La République d'Indonésie compte plusieurs centaines de parlers locaux, si ce n'est des milliers. C'est donc toujours par l'intermédiaire de l'idiome national, qui marque leur caractère préliminaire, que se font les premiers contacts. Ceux-ci — sur un peu plus de deux années que couvre cet ouvrage — se sont néanmoins transformés en relations réellement personnelles et émotionnelles.

Les monographies sont l'exact contraire. Elles imposent à la réalité un simulacre d'ordre, où chaque chose a sa place. Ce livre a été écrit au fur et à mesure de l'expérience qu'il détaille. J'aurais pu bâtir un ouvrage complètement différent en prenant comme point de départ le magnifique grenier à riz toraja exposé aujourd'hui dans les galeries du musée de l'Homme de Londres, et en expliquant le sens ethnographique, financier et muséologique de sa construction. Mais ça ne s'est pas passé ainsi.

De nombreuses personnes ont soutenu le projet qui est le sujet de ce livre. En Angleterre, le directeur et les administrateurs du British Museum ont eu la clairvoyance de financer une entreprise aussi incertaine. Sans le soutien et la compréhension inébranlables de Jean Rankine et Malcolm McLeod, celle-ci n'aurait jamais pu être acceptée.

En Indonésie, je dois des remerciements à Ibu Hariyati Soebadio, du Departemen Pendidikan dan Kebudayaan, et à Bapak Yoop Ave et Luther Barrung, du Departemen Parpostel, qui tous m'ont guidé par la main à travers les canaux officiels, où je n'aurais jamais réussi à naviguer sans leur infinie bonne volonté. Bapak Yakob, Bupati de Tana Toraja, Bapak Patandianan de Sospol et Nico Pasaka m'ont été aussi d'un grand soutien. À Mamasa, je dois de chaleureux remerciements à la doctoresse Silas Tarrupadang pour son hospitalité et son assistance généreuses. Le professeur Abbas et Ibu Abbas, de l'Hasanuddin University, se sont mis en quatre pour m'aider à un moment où j'en avais le plus grand besoin. Bapak

W. Arlen, du Bureau de l'immigration, à Ujungpandang, a droit, lui, à un *anti*-remerciement!

Merci également à H. E. Bapak Suhartoyo et à Bapak Hidayat de l'ambassade d'Indonésie à Londres. Je dois une reconnaissance particulière à Bapak W. Miftach, qui appartient aussi à cette ambassade, pour son soutien, son aide et son amitié sans faille tout au long de ce projet.

Depuis le début, la Torajan Foundation de Djakarta, et en particulier Bapak J. Parapak et Bapak H. Parinding, s'est impliquée chaleureusement dans la description de ce peuple, et l'a parrainée, comme la Garuda Indonesia.

Sans l'amitié, l'aide et la compréhension joyeuses de Sallehuddin bin Hajji Abdullah Sani, ce projet n'aurait été ni conçu ni réalisé.

Par-dessus tout, j'ai une dette envers les nombreux Torajas anonymes, hommes et femmes, qui ont pris à cœur de me venir en aide sans idée de récompense ni d'avantage personnel.

CHAPITRE PREMIER

Nouveaux départs

«L'anthropologie n'est pas un sport dangereux.»

Je m'en étais toujours douté, mais c'était réconfortant de le voir confirmé noir sur blanc par une honorable compagnie d'assurances, à l'honnêteté incontestable. C'était leur métier, après tout, de savoir ce genre de choses.

Cette déclaration était le résultat d'un long échange épistolaire que j'avais mené plus par curiosité désintéressée que par une volonté d'investigation sérieuse. Je m'étais assuré pour un voyage de deux mois sur le terrain, et j'avais eu l'imprudence de lire les petits caractères du contrat. Je n'étais couvert ni en cas d'attaque nucléaire ni en cas de nationalisation par un gouvernement étranger. Plus inquiétant encore : j'étais couvert pour une période pouvant aller jusqu'à douze mois pour cause de détournement d'avion. Le parachutisme en chute libre m'était spécifiquement interdit, comme «tous les autres sports dangereux». Mais c'était désormais officiel : l'anthropologie n'appartenait pas à cette catégorie.

L'équipement étalé sur mon lit semblait pourtant indiquer le contraire. J'avais des pastilles pour désinfecter l'eau et des traitements contre deux formes de malaria, le pied d'athlète, les ulcères suppurants, les abcès aux paupières, la dysenterie amibienne, le rhume des foins, les coups de soleil, les poux et les tiques, le mal de mer et les vomissements. Beaucoup, beaucoup plus tard, je devais m'apercevoir que j'avais oublié l'aspirine.

Ce voyage promettait d'être difficile. Ce serait la dernière confrontation entre ma carcasse manifestement déclinante et une géographie hostile où il me faudrait sans doute franchir des montagnes et des ravins en transportant tout mon matériel — une ultime manifestation d'optimisme physique avant d'admettre que la vie citadine et l'approche de la cinquantaine avaient commis leurs ravages définitifs.

Mon nouveau sac à dos, brillant d'un vert iridescent comme la carapace d'un scarabée tropical, était posé dans un coin. À côté, mes bottes neuves rutilaient, rassurantes, et promettaient des pieds solides et bien au sec. Les appareils photos étaient nettoyés et réglés. Toutes les tâches mineures étaient terminées, comme un soldat astique et graisse son fusil avant d'aller à la bataille. Maintenant, dans la mélancolie précédant le départ, l'esprit était éteint et les sens engourdis. Le moment était venu de rester assis sur ses bagages et de s'abandonner à la déprime.

Je n'ai jamais vraiment compris ce qui pousse les anthropologues à se rendre sur le terrain. L'irrésistible besoin de fouiner et les limites de la mémoire humaine — qui refuse de se souvenir à quel point une grande part de ce travail se révèle parfois éprouvante et fastidieuse — l'emportent peut-être tout simplement sur la prudence? Ou est-ce l'ennui de la vie urbaine, l'effet abrutissant d'une existence bien réglée? Le départ est souvent déclenché par des événements relativement mineurs qui montrent la routine de nos activités sous un jour nouveau. Une fois, je me suis senti tenté quand un rapport ampoulé intitulé «Applications de l'ordinateur en anthropologie» est arrivé sur mon bureau, alors que je venais juste de passer quarante minutes à enrouler à la main un ruban neuf parce que ma machine à écrire était si vieille que la bobine appropriée n'était plus disponible depuis longtemps dans le commerce.

Le fait est que cette pratique est souvent le moyen pour le chercheur d'essayer de résoudre ses problèmes personnels plutôt que la tentative de comprendre d'autres cultures. Dans la profession, on le considère souvent comme la panacée à tous les maux. Un mariage brisé ? Va passer un moment sur place pour remettre les choses en perspective. Déprimé par l'absence de promotion ? Le travail de terrain te donnera d'autres sujets d'inquiétude... Mais quelle qu'en soit la cause, tous les ethnographes entendent l'appel de la nature sauvage avec la même conviction que les musulmans pris d'un besoin soudain et irrésistible de se rendre à La Mecque.

Où aller ? Pas l'Afrique de l'Ouest, cette fois : ailleurs. Des étudiants m'ont souvent demandé conseil sur les destinations possibles. Certains, en proie à une obsession implacable, ne voulaient travailler que sur un seul sujet, l'excision ou les forgerons par exemple. Ceux-là étaient les plus faciles à conseiller. D'autres étaient tout simplement tombés amoureux de telle ou telle partie du monde. Avec eux aussi c'était facile. Ce genre d'histoire d'amour pouvait permettre d'affronter les épreuves et les déceptions innombrables de l'ethnographie, tout comme une hantise théorique plus austère. Puis il y avait le troisième groupe, le plus difficile, dans lequel je semblais moi-même être désormais tombé, celui qu'un collègue à la dent dure avait surnommé «les sociaux-démocrates de l'anthropologie», le groupe de ceux qui savaient plus clairement ce qu'ils voulaient éviter que ce qu'ils désiraient chercher...

Lorsque je conseillais ces étudiants-là, je leur posais toujours une question du genre : « Pourquoi n'allez-vous pas quelque part où les habitants sont beaux, amicaux, un endroit avec de la nourriture que vous aimez et de jolies fleurs ? » Et souvent, en effet, ils revenaient de tels endroits avec d'excellentes thèses. Je devais maintenant m'appliquer ce précepte à moi-même. L'Afrique de l'Ouest était exclue, mais la réponse m'arriva en un éclair : l'Indonésie !

J'ai décidé de me renseigner plus avant. J'ai consulté un éminent spécialiste de l'Indonésie, un Hollandais bien entendu, et donc plus anglais que les Anglais, avec sa veste pied-de-poule, ses longues voyelles élégantes et sa pipe à la Sherlock Holmes. Il a pointé son tuyau dans ma direction.

« Tu souffres d'une ménopause mentale, m'a-t-il dit dans un nuage de fumée. Tu as besoin d'un changement radical. Lors de leur première étude de terrain, les anthropologues font toujours la terrible découverte que les gens, là-bas, ne sont pas comme ceux d'ici — dans ton cas, que les Dowayos n'ont rien à voir avec les Anglais. Mais ils ne comprennent jamais clairement que *tous* les peuples sont différents. Tu voyageras pendant des années en considérant tous les gens comme s'ils étaient dowayos. Tu as décroché une subvention ?

— Pas encore, mais je peux probablement obtenir quelques fonds. »

Le plus triste, dans la recherche universitaire, c'est que personne ne vous donne d'argent quand vous êtes jeune et que vous avez beaucoup de temps. En revanche, quand vous avez un peu progressé dans la hiérarchie, vous réussissez en général à persuader quelqu'un de vous financer, mais vous n'êtes plus jamais assez disponible pour faire quoi que ce soit d'important.

« Les subventions sont des choses merveilleuses. J'ai souvent pensé écrire un livre sur le fossé entre ce pour quoi elles sont accordées et leur véritable utilisation. Ma voiture (il fit un geste vers la fenêtre), c'est la subvention pour faire dactylographier la version définitive de mon dernier livre. J'ai passé toutes mes nuits pendant six semaines à le taper moi-même. Ce n'est pas une très bonne voiture, mais ce n'était pas non plus un très bon livre. Je me suis marié grâce à une subvention qui devait me permettre d'étudier l'acihais[1]. Ma première fille, c'est la subvention pour visiter des centres de recherches sur l'Indonésie, en Allemagne. »

Les universitaires... La culture de la misère qui s'efforce de sauver les apparences.

« Tu as divorcé récemment. Tu en as obtenu une pour ça aussi ?

— Non... Ça, j'ai payé. Mais ça en valait la peine.

— Bon, où puis-je aller ? »

Il a tiré de nouveau sur sa pipe.

« Va à Sulawesi[2]. Si quelqu'un te demande pourquoi, réponds que c'est parce que les enfants y ont les oreilles pointues.

— Les oreilles pointues ? Comme M. Spock ? »

Il a craché de la fumée comme un volcan indonésien et m'a adressé un sourire mystérieux.

« Vas-y, et tu verras bien. »

J'avais mordu à l'hameçon, je le savais. J'irais sur l'île de Sulawesi, en Indonésie, et j'examinerais les oreilles pointues des enfants.

On peut prendre plaisir à penser à un voyage longtemps à l'avance. Mais les préparatifs immédiats n'en procurent aucun. Injections. Devait-on vraiment croire que la variole avait été « éradiquée » ? Éradication : un beau mot, net et carré... et infiniment suspect. La rage ? Quelle probabilité avait-on d'être mordu par un chien enragé ? Oui, mais la griffure d'un chat ou le coup de bec d'un oiseau pouvaient aussi transmettre la maladie. Gammaglobulines ? Les Américains ne jurent que par ça. Les Britanniques n'y croient pas. En fin de compte, on fait un choix arbitraire, comme un enfant qui attrape une

1. Langue du nord-ouest de Sumatra. *(N.d.T.)*
2. L'autre nom de l'île Célèbes. *(N.d.T.)*

poignée de bonbons. Combien de chemises ? Combien de paires de chaussettes ? On n'en a jamais assez à mettre, mais toujours trop à transporter. Casseroles ? Sacs de couchage ? À certains moments, ils seront indispensables, mais justifient-ils la souffrance de leur transport d'un bout à l'autre de Java ? Il faut passer ses dents et ses pieds en revue, comme si son propre corps était une marchandise difficile à vendre sur un marché aux esclaves. Et il est temps aussi de consulter les guides de voyage et les ouvrages ethnographiques antérieurs.

Chacun de ces livres semblait raconter une histoire différente. Impossible de prévoir un itinéraire. On ne pouvait en tirer aucune vision d'ensemble. L'un d'eux prétendait que les bateaux indonésiens étaient des coupe-gorge flottants, le paroxysme de la misère, des lieux crasseux et pestilentiels. Un autre que c'étaient des havres de tranquillité. Un voyageur affirmait avoir emprunté des routes goudronnées à un endroit où, selon un confrère, elles n'existaient plus. Les livres de voyage étaient aussi imaginaires que les dossiers de subvention. C'était mon Hollandais qui avait dû les écrire. Il y avait un problème annexe : on ne pouvait jamais être sûr des évaluations de l'auteur. Le « confortable » de l'un était le « prix absurde » d'un autre. En fin de compte, la seule solution consistait à y aller voir par soi-même.

Il y a un stade où les cartes paraissent essentielles, même si elles ne vous donnent que la fausse impression de savoir où vous allez. Les responsables des cartes sont les véritables excentriques des librairies : cheveux en bataille et lunettes-remontées-sur-le-front.

« Une carte de Sulawesi ? Charlie, on a quelqu'un, ici, il veut une carte de Sulawesi ! »

Charlie m'observa par-dessus une pile de cartes. Apparemment, ils n'avaient pas le client modèle Sulawesi tous les jours. Charlie, lui, était plutôt du genre lunettes-sur-la-pointe-du-nez.

«J'peux pas vous en trouver une. On aimerait déjà en avoir une pour nous. J'peux vous proposer une hollandaise d'avant la guerre avec rien dessus. Ce sont les Indonésiens qui ont le copyright, vous voyez. Z'ont peur des espions. Ou alors vous avez un relevé aérien de l'Air Force américaine, mais il couvre trois feuilles, de près de deux mètres sur deux chacune. Un petit bijou de cartographie.

— J'espérais quelque chose d'un peu plus pratique.

— On peut vous vendre une carte politique de la Malaisie orientale. Avec la topographie de Bornéo en prime et douze centimètres du sud de Sulawesi pour finir le carré. Mais je suppose que si vous voulez aller à plus de quinze kilomètres à l'intérieur de l'île, ça ne vous sera pas très utile. On a un plan de la capitale avec un index des rues, si ça vous dit.»

J'y jetai un coup d'œil. Combien de fois avait-on étudié cet ambitieux fouillis de rues et d'avenues qui, sur place, se réduiraient à de petits villages torrides et poussiéreux avec une seule vraie route?

«Non. Je ne crois pas. De toute façon, le nom a changé. On ne l'appelle plus Macassar, mais Ujungpandang.»

Charlie parut choqué.

«Mon cher monsieur. C'est un plan de 1944.»

C'était vrai. L'index des rues était en hollandais.

L'argent m'étant compté comme toujours, il était temps de téléphoner aux agences qui vendaient des billets d'avion à prix réduits. On ne pouvait raisonnablement espérer en trouver un pour Sulawesi. Le mieux était d'aller jusqu'à Singapour et, là-bas, de se mettre en chasse.

L'étonnant n'est pas que les tarifs varient d'une compagnie aérienne à l'autre, mais qu'il soit pratiquement impossible de payer le même prix pour le même avion de la même compagnie. Au fur et à mesure que la piste s'éclaircissait et que les prix diminuaient, les noms des compagnies semblaient de moins en moins réels et de plus en plus révélateurs. Finnair évoquait un tour de passe-passe[1]. Madair était plus chère, mais suggérait une folle aventure[2]. Finalement, j'optai pour une compagnie du tiers-monde qualifiée de « parfaite, une fois que vous êtes en l'air ». Dans une mansarde donnant sur Oxford Street, j'eus un rendez-vous avec un petit homme énervé, une vraie caricature des effets désastreux du stress : desséché, plein de tics, il se rongeait les ongles et fumait des cigarettes à la chaîne. Il était perdu au milieu d'énormes piles de papiers, et son téléphone sonnait constamment. J'ai payé et il a commencé à remplir le billet. Et ça sonnait, ça sonnait.

« Allô ! Comment ? Qui ? Oh, mon Dieu ! Ah, oui, bon. Je suis désolé pour ça. Le problème, c'est qu'à cette époque de l'année tout le trafic se fait vers l'est, alors on aura du mal à trouver une place. »

Suivirent cinq minutes d'explications apaisantes destinées à un interlocuteur manifestement très contrarié. Il raccrocha, se rongea les ongles un instant, et se remit à remplir mon billet. Le téléphone recommença à sonner aussitôt.

« Allô ! Comment ? Quand ? Oh, mon Dieu ! Ah, bon. Le problème, c'est qu'à cette époque de l'année tous les Asiatiques viennent en Occident, alors on aura du mal à trouver une place. »

Cinq minutes supplémentaires de laïus lénifiant. Il tirait éperdument sur sa cigarette. *Dring! Dring!*

« Allô ! Comment ? Oh, mon Dieu ! Je suis désolé. Depuis toutes ces années que je suis dans le métier, ça n'est jamais arrivé. Je suis sûr de vous avoir envoyé ce billet. »

Il feuilleta une liasse de billets, en mit un dans une enveloppe sur laquelle il griffonna une adresse.

---

1. *To vanish into thin air,* se volatiliser. *(N.d.T.)*
2. *Mad,* fou. *(N.d.T.)*

«L'ennui, c'est qu'à cette époque de l'année la plupart des bureaux de poste sont fermés, alors il y aura un retard. »

Ce fut avec les plus noirs pressentiments que j'empochai mon propre titre de transport puis quittai le bureau.

Ensuite, j'ai fait ma dépression d'avant le départ. Après avoir marché un moment dans la pièce avec mon sac à dos couleur carapace-de-scarabée, je l'ai vidé et je me suis débarrassé de la moitié de son contenu. Mais je n'aurais pas dû m'inquiéter. Quand je suis arrivé à l'aéroport, il n'y avait pas de place dans l'avion, et pas d'autre avion avant une semaine. J'ai fait sonner le téléphone chez mon agent de voyage stressé d'avance.

«Comment? Qui? Eh bien, depuis toutes ces années que je suis dans le métier, ça ne s'est jamais produit. Le problème, c'est qu'à cette époque de l'année les avions supplémentaires sont coincés par la mousson. Mais je vais vous rembourser intégralement. Je mets à l'instant votre chèque sous enveloppe. »

Lorsque je le recevrais, plusieurs semaines plus tard, il serait sans provision.

On dit que chaque côté positif de l'existence a besoin de son contraire qui permet de mieux le définir et de situer sa place dans l'ensemble plus large des choses. C'est peut-être le rôle d'Aeroflot dans le monde de l'aviation, une sorte d'antithèse de la compagnie aérienne. Au lieu de stewards épuisés, de robustes hôtesses moustachues. Au lieu des chichis congelés de la cuisine du ciel, du poulet frit. Entre Londres et Singapour, on nous en servit cinq fois, parfois chaud, parfois froid, et toujours reconnaissable. Plutôt que de rentrer chez moi avec armes et bagages, j'avais décidé de prendre le seul vol bon marché de ce jour-là : sur Aeroflot.

Le circuit d'air conditionné diffusait une étrange odeur, peut-être de l'huile de clous de girofle. Elle était particulièrement agressive dans les toilettes, où il n'y avait pas de papier, et ceux qui s'y rendaient en ressortaient cramoisis et haletants. Aux moments de stress, pendant les atterrissages par exemple, les bouches d'aération du plafond diffusaient un air glacé aussi discret que la neige carbonique d'une comédie musicale. Les Japonais prirent peur et, pensant qu'un incendie s'était déclaré, pleurnichèrent jusqu'à ce qu'une hôtesse leur hurlât quelque chose en russe. Ça les intimida, à défaut de les convaincre.

Seul le changement d'avion à Moscou interrompit un moment les assauts du poulet frit. Émergeant en fin de soirée des miasmes de clous de girofle, il nous fallut faire la queue dans les escaliers, sous des ampoules de vingt watts dignes d'une maison de passe municipale. Des hôtesses se précipitèrent sur nous en criant d'un ton inquisiteur *« Lusaka ! »* ou peut-être *« Osaka ! »*. Les Japonais et les Zambiens se bousculèrent sans conviction. On examina minutieusement nos billets. On fouilla nos bagages. Un jeune homme renfrogné vérifia nos passeports ; il les lut ligne par ligne en remuant les lèvres. Il insista pour nous faire ôter nos chapeaux et nos lunettes. Moi, il me mesura pour comparer ma taille avec celle inscrite dans mon passeport. Miracle, les chiffres correspondaient.

Il y avait derrière moi une Française volubile. Elle avait absolument envie de raconter sa vie. Elle allait en Australie pour se marier.

« Je pense que tout ira bien quand je serai là-bas, dit-elle avec courage. (Comme elle avait le sens de l'humour, elle trouva très drôle que l'on me mesurât.) Ils font ça pour un cercueil ? » suggéra-t-elle gaiement.

Le jeune homme hargneux n'apprécia pas cette légèreté et la renvoya au bout de la queue. On avait l'impression de se retrouver à l'école. En fait, toute la zone de transit rappelait nos mornes scolarités de l'après-guerre. Des femmes sévères, au visage épais et désapprobateur, poussaient des chariots couleur crème à l'émail écaillé. C'étaient certainement elles qui m'avaient servi jadis à l'école primaire de la viande hachée pleine de graisse tout en discutant des problèmes de rationnement. Et les toilettes cassées de l'aéroport me rappelaient les cabinets, au fond de la cour de récré.

Des femmes plus jeunes, dans des uniformes vert olive, saluèrent des soldats en armes qui traînaient dans les environs. Elles semblaient chargées d'une importante mission d'État. Les Occidentaux parurent soudain coupables et mal à l'aise. Nous nous sentions tous d'une frivolité et d'une bonne humeur déplacées, comme les gens qui rient nerveusement à un enterrement. Un jour, peut-être, nous grandirions et nous deviendrions des citoyens sérieux comme eux.

Comme toutes les boutiques étaient fermées, impossible de nous précipiter pour acheter des poupées russes et des livres sur la collectivisation vietnamienne. Des compagnons plus aventureux ont découvert un bar, à l'étage, où acheter de l'eau minérale effervescente à un homme lugubre qui n'avait pas de monnaie. Nous avions tous reçu un carré de carton où quelqu'un avait écrit « Dîner 9 : 00 » ; nous nous sommes donc installés dans une zone où se trouvaient des tables et des chaises. Nous ressemblions de plus en plus à des réfugiés.

À vingt-deux heures, mes cantinières d'antan refirent leur apparition, ajustant leurs foulards sur leurs têtes pour se préparer à l'action. Hélas, pas de viande hachée pour nous. Elles se servirent sans se presser un copieux repas, puis s'y attaquèrent, sous nos regards envieux, avec des mimiques de contentement qui nous mettaient l'eau à la bouche. Cette fois, aucun poulet ne semblait impliqué dans l'affaire. Ensuite, ces dames disparurent et entamèrent en coulisse un long intermède de bruits de vaisselle. Juste avant l'heure où notre avion devait décoller, elles surgirent triomphalement avec leurs chariots émaillés. L'une d'elles nous distribua deux tranches de pain, une tomate et un café noir, tandis que deux autres nous rassemblaient sans ménagement par petits groupes pour examiner nos billets. Au moment où nous abandonnions tout espoir d'être nourris davantage, on nous apporta un biscuit sur une magnifique soucoupe en porcelaine.

En dessous de nous, dans la zone de départ, se déroulait un joyeux spectacle de cabaret. Deux touristes — des Anglais, semblait-il — cognaient contre la porte vitrée du bureau de l'immigration. Ils avaient essayé de la pousser. Ils avaient essayé de la tirer. Ils ne savaient pas qu'elle coulissait.

«Notre avion!» hurlaient-ils, en indiquant un gros appareil stationné de l'autre côté de la vitre.

On voyait des passagers qui embarquaient. Un fonctionnaire rondelet, vêtu d'un uniforme en toile à sac, regardait par la fenêtre; il leur tournait le dos et s'évertuait à ignorer leur vacarme.

«Vous nous avez téléphoné pour nous dire de venir à l'aéroport, lui criaient les Anglais. Nous attendons un avion depuis une semaine!»

Ce tumulte finit par l'agacer et, à contrecœur, il ouvrit la porte de quelques centimètres pour considérer les Anglais avec l'air d'un propriétaire réveillé au milieu de la nuit par un inconnu. Ces derniers s'empressèrent de lui tendre leurs billets pour se justifier. Erreur fatale. Il s'en empara, referma et verrouilla la porte tranquillement, posa les billets à l'extrémité de son bureau, puis se replongea dans sa contemplation tranquille de l'appareil. Une hôtesse apparut alors au sommet de la passerelle, regarda brièvement autour d'elle, haussa les épaules puis disparut à l'intérieur.

«Appelez quelqu'un! suppliaient les voyageurs. Nos bagages sont dans cet avion!»

Pour toute réponse, le fonctionnaire leur rendit leurs

billets en les glissant adroitement sous sa porte, puis il leur tourna de nouveau le dos. Sur la piste, on éloignait la passerelle. Les voyageurs se remirent à cogner sur la vitre, dans un regain de désespoir. Le fonctionnaire alluma une cigarette. Dix minutes plus tard, l'avion commença à rouler. Les deux Anglais sanglotaient.

En bons pharisiens, nous nous sommes détournés. Notre avion fut enfin annoncé. Après le conte moral auquel nous venions d'assister, personne ne souhaitait être en retard. Nous nous sommes rassemblés à la porte d'embarquement comme les hordes païennes devant Rome. Quand, à l'occasion, une hôtesse se montrait de l'autre côté, nous nous précipitions. Puis elle disparaissait, nous laissant en rade, comme des idiots.

Dans ce nouveau vol, le poulet frit frappa de nouveau. Un Indien prétentieux arpentait l'avion et expliquait à qui voulait l'entendre qu'il était amiral et qu'il avait choisi Aeroflot pour des raisons de sécurité, et non d'économie. Une Voyageuse Aguerrie était assise dans un coin. Elle refusait toutes les offres de volaille d'un geste dédaigneux, car elle avait eu la prudence d'embarquer divers fromages et une miche de bon pain. Elle avait à ses pieds une bouteille de vin et, sur ses genoux, un épais roman. Mais le plus révoltant, c'était qu'elle avait aussi du savon et un rouleau de papier toilette. Nous la regardions avec ce ressentiment non dissimulé que l'on voit sur les visages collés derrière les fenêtres des hospices de vieillards. Mais, tandis que nous amorcions notre descente vers Singapour, un homme verdâtre émergea des toilettes et renversa son vin d'un coup de pied, ce qui nous fit bien plaisir.

Singapour. La Cité du Lion. Son symbole actuel — « actuel », parce que tout à Singapour est soumis à un processus impitoyable de révision et d'amélioration — est le *merlion*, une combinaison écœurante et d'une fausse modestie de lion et de poisson, digne de Walt Disney.

Sur le port, la chose en question éructe une eau sale et écumeuse, juste pour être photographiée par les touristes.

Après Moscou, on était indiscutablement de retour dans le monde libre, mais c'était ici aussi un endroit d'ordre et de contrainte. La charte sociale de la cité-État célèbre Raffles[1], dont le nom se retrouve commémoré sur l'ensemble de l'île. Mais son fondateur, son sauveur et son despote bienveillant, Lee Kuan Yew[2], n'est, lui, fêté nulle part. Singapour est une république dont Lee Kuan Yew est le roi. On a conservé partout les noms britanniques. Visiter la base aérienne est un vrai plaisir. Des officiers chinois aimables sont assis devant des bungalows surnommés «Dunroamin[3]» qui s'élèvent au bord de routes baptisées The Strand et Oxford Street. Singapour n'a pas éprouvé le besoin d'effacer son passé colonial. Comme tout le reste, celui-ci a été absorbé doucement.

Si le nom de Lee Kuan Yew n'est pas omniprésent, sa personnalité imprègne tous les niveaux de l'État. Vous n'avez pas le droit de traverser une rue ailleurs qu'à un feu rouge (cinq cents dollars d'amende), pas le droit non plus de cracher (cinq cents dollars d'amende), ni de jeter un papier sale par terre (cinq cents dollars d'amende). On estime que tous les problèmes peuvent être résolus par l'établissement de nouvelles lois. Là encore, comme à l'aéroport de Moscou, l'école est une bonne comparaison pour comprendre les systèmes autoritaires. Je ne parle pas, bien sûr, des pépinières de vice, de violence et de criminalité que sont les écoles anglaises modernes, mais de ces institutions étrangement innocentes des années de l'après-guerre. Les espaces publics sont propres et bien

---

1. Sir Thomas Stamford Raffles, responsable de l'acquisition de Singapour en 1819 par la Compagnie des Indes orientales. *(N.d.T.)*

2. Chef du Parti d'action populaire, élu Premier ministre en 1959. *(N.d.T.)*

3. *Done roaming*, «fini d'errer», l'équivalent anglo-saxon du «Sam Suffit». *(N.d.T.)*

entretenus, et chaque miette de terrain se transforme en parc. Dans les immenses et effrayants immeubles d'appartements, tous les ascenseurs fonctionnent et sont d'une propreté immaculée. Curieusement, les habitants de Singapour ne dégradent pas leur environnement. Même les téléphones publics sont en état de marche. Un contraste choquant avec l'automutilation sordide de l'agglomération londonienne.

Avant tout, c'est une ville où l'on ne pense qu'à gagner sa vie. On a souvent fait l'éloge du caractère industrieux des Singapouriens. Mais c'est une curieuse forme d'industrie qui repose principalement, semble-t-il, sur les marchands assis dans des centres commerciaux au milieu de marchandises fabriquées aux Japon et vendues dans une large mesure à des Occidentaux. Même selon les critères britanniques, l'insolence des vendeurs est étonnante, malgré la campagne «Souriez!» lancée personnellement par Lee Kuan Yew. (Là encore, on pense à l'école, quand le directeur se lève devant l'assemblée et annonce : «J'aimerais dire quelques mots sur le manque général de gaieté dans notre établissement...») L'anglais parlé ici est extraordinaire. Dans ce mélange polyglotte de Chinois, d'Indiens et de Malais, certaines personnes semblent ne pas avoir de langue maternelle.

Je m'installai chez une famille malaise, dans une de ces hautes tours d'acier et de béton qui ont remplacé les vieilles cabanes en bois accueillantes où les Malais vivaient jadis dans une décontraction insalubre. Le melting-pot des races est une volonté politique. Les Indiens occupent un côté de l'immeuble, les Chinois l'autre. Les parfums d'épices et d'encens célébrant divers dieux se disputent les couloirs. Dans les escaliers, on entend cancaner et grogner en différentes langues. À l'intérieur de l'appartement, cinq adultes et deux enfants partagent trois petites pièces et une cuisine, toutes d'une impeccable propreté.

Aller à l'hôtel ? Ne dites pas de bêtises ! Il y a de la place ici. Vous faites partie de la famille.

Impossible de résister à l'hospitalité malaise. Le seul problème, c'est qu'on est obligé de manger trois fois plus qu'on ne voudrait.

C'était ma première occasion ou presque d'essayer mon indonésien. Le malais et l'indonésien entretiennent le même genre de relation que l'anglais et l'américain. La télévision recevait les programmes de Singapour et de la Malaisie, de l'autre côté du bras de mer séparant les deux États. La chaîne de Singapour ne diffusait que des bonnes nouvelles. Les mauvaises étaient un phénomène franchement étranger. On y voyait les Singapouriens vivre dans un harmonieux progrès pluriethnique. Regardez ! Le nouveau métro ! Regardez ! On gagne encore de l'espace sur la mer ! Sur la chaîne malaise, des gens plus sombres et plus beaux faisaient étalage de leurs vertus islamiques. Les informations de l'étranger ne concernaient que La Mecque et les nouvelles mosquées.

« Vous êtes sûr que ce ne sont pas des oranges israéliennes ? » demanda quelqu'un derrière moi.

Les appels téléphoniques interurbains sont gratuits. En dix minutes, j'avais un billet d'avion pour Djakarta au tiers du prix que j'aurais payé à Londres. Je commençais à me sentir un vrai plouc.

Nous nous sommes réinstallés devant la télé pour regarder un mélodrame malais qui ne parlait, semblait-il, que d'épouses impudentes cocufiant leurs vertueux maris partis à la cour royale. L'adultère était symbolisé par la porte fermée de la chambre.

« Vous entendez comme elle rit, celle-là ! Elle n'est pas vierge.

— Regardez ! Et maintenant, elle fume. Wouah ! »

Hélas, j'étais incapable de comprendre un traître mot du film, mais l'anthropologue est formé dès son jeune âge à suivre des conférences et des séminaires ennuyeux comme la pluie et des exposés incompréhensibles. Ma patience fut récompensée. Après avoir causé de nombreux torts à son pauvre mari, la femme vit ses crimes dénoncés par le rajah. Le tribunal parlait un dialecte assez proche de l'indonésien pour être intelligible. L'énormité de sa faute fut enfin révélée : elle avait volé le riz destiné aux enfants de son mari et elle l'avait revendu pour acheter du parfum.

Wouah !

Il est clair que les Occidentaux se réfugient dans le centre des affaires de Singapour pour échapper à l'Asie. C'est un lieu où l'efficacité est reine. Ce décor singeant le pire de *Dallas* grouille d'employés de compagnies pétrolières, de comptables, d'avocats et autres membres de professions louches. Le gouvernement, un peu puritain, s'est lancé dans une guerre qui se méprend sur les goûts des visiteurs de l'Ouest. Il ne semble pas comprendre que si on élimine la crasse, les pratiques irrationnelles et tout ce qu'on nomme « couleur locale », les touristes ont l'impression qu'ils auraient tout aussi bien pu rester chez eux.

La préoccupation du moment, c'était Bugis Street, un nom à faire frissonner les reins de plus d'un vieux marin britannique. Cette rue était célèbre tout simplement pour les travestis qui s'y prostituaient. Le travestissement est un des grands leitmotive de l'Orient ; c'est souvent un sujet très sérieux, avec, parfois, des implications religieuses. Dans Bugis Street, cependant, il n'avait d'autre fonction que la détente et la distraction. Le gouvernement, choqué par cet « exhibitionnisme scandaleux » et toujours soucieux de son image à l'étranger, avait décidé de nettoyer la rue. On en parlait beaucoup dans les journaux.

« Où est-ce ? ai-je demandé aux fils de la maison, des

jeunes gens d'une vingtaine d'années. Ce serait amusant d'y faire un tour ? »

Ils échangèrent de longs chuchotements.

« Nous ne savons pas. Nous n'y sommes jamais allés.

— Vous avez un plan ?

— Non, mais on va demander à un ami. »

Ils emportèrent le téléphone dans la chambre, en tirant le fil derrière eux, et composèrent un numéro. Ils appelèrent trois personnes, le rouge aux joues.

« Aucun de nos amis ne le sait. Ils sont tous musulmans.

— Vous n'avez pas de copains chinois ?

— On va essayer. »

Dix minutes plus tard, nous étions en route, gloussant comme des conspirateurs. Nous avions expliqué au père que nous allions admirer les lumières du port. Nous avons finalement trouvé Bugis Street : c'était une ruelle sombre, bordée d'édifices bons pour la démolition. Malgré l'étroitesse de la rue, on avait disposé des tables et des chaises sur la chaussée, et une centaine d'étals cuisinaient toutes sortes d'aliments sous les étoiles. Des troupeaux de touristes traînaient là, en quête du frisson du scandale, et beaucoup mangeaient, à défaut d'autres plaisirs. J'ai commandé trois boissons, les plus chères que j'aie jamais payées nulle part. Une fillette qui devait avoir cinq ou six ans passait de table en table et défiait les touristes au morpion pour une mise d'un dollar. Elle se débrouillait très bien. Des policiers malais, dans des uniformes immaculés, allaient et venaient, l'air grave et désapprobateur.

« Pourquoi tous les policiers, ici, sont-ils malais ? » ai-je demandé.

Les garçons ont rigolé.

« Ils le sont *tous*, sauf les officiers supérieurs. Les Chinois n'aiment pas que les Malais apprennent à piloter des avions ou à tirer au canon, alors, quand nous

30

faisons notre service militaire, ils nous mettent dans la police. »

Les touristes s'ennuyaient ferme. Un groupe d'Anglais avait découvert un chat errant et consacrait sa soirée à le nourrir de poisson acheté à un prix exorbitant. Soudain, un Américain s'écria :

« Vite, Miriam. En voilà un ! »

Un travesti solitaire, moulé dans une jupe en cuir, se fraya un passage entre les tables en minaudant. Miriam, une femme aux yeux d'un bleu délavé et au caractère déterminé, plongea avec entrain dans la foule et filma la « fille » des pieds à la tête. Tous les étuis des appareils photos s'ouvrirent en même temps, dans un cliquetis général, et les calculs pour l'utilisation des flashes s'accompagnèrent de jurons en plusieurs langues européennes. Le travesti tint superbement son rôle ; il tira la langue et agita les fesses avant de s'éloigner en se dandinant sur ses hauts talons.

Puis le doute s'installa. C'était manifestement quelqu'un qui se prostituait, mais son sexe restait indéterminé.

« C'est juste une vieille pute », décida Miriam.

La soirée était plutôt triste, et mes amis musulmans étaient déçus de découvrir que la perversion n'était pas forcément source de joie. Et puis un serveur chinois aux rides incroyables nous sauva la mise.

« Vous voulez boile encole ?

— Non merci. Pas à ce prix-là.

— Psst. Vous voulez photo cochonne ?

— Comment ?

— Photo cochonne. Vous voulez ? »

En un éclair, cela m'évoqua la chaleur et la poussière du service militaire impérial, et nos tommies au teint rose qui débarquaient de leurs bateaux à vapeur pour découvrir les merveilles de l'Orient... Il allait nous montrer des danseuses du ventre ou des beautés aux yeux bridés, lourdes de bijoux en argent et de promesses voluptueuses. Il posa sur la table une chemise en plastique avec des clichés dans des pochettes numérotées.

Les Orientaux ne sont pas velus, mais on avait déniché quelque part des hommes à la pilosité presque caucasienne. Leurs jambes, qui faisaient penser à des balais de WC, étaient généreusement exposées — vu qu'ils portaient des maillots de bain pour femmes. Beaucoup tenaient des plumes et minaudaient. C'était triste et drôle à la fois, comme les pin-up de nos grands-parents. Un peu comme s'ils cherchaient désespérément à être pervers mais sans savoir vraiment ce qu'il fallait faire pour ça.

Une autre patrouille de police passa, deux Malais qui jouaient avec leurs matraques. Ils jetèrent un regard dur à mes amis, malais eux aussi, et virent la chemise ouverte devant nous. Ils poursuivirent leur chemin en secouant la tête. Soudain, mes compagnons eurent l'air refroidis et honteux. Une fois encore je m'étais comporté en mauvais citoyen. Il était temps de rentrer. Au moment où nous nous levions, Miriam tendit la main.

« Si vous avez terminé avec ces photos, mon chou, je compte bien y jeter un œil. »

CHAPITRE II

Contes de Deux Villes[1]

Inévitablement, ce sont les aéroports qui nous offrent nos premières impressions, trompeuses, d'une autre partie du monde. Les brochures touristiques nous induisent délibérément en erreur, et nous le savons. Au diable ces simples manipulations d'images ! Mais les aéroports, eux, sont *réels*. Ils ont ce côté brut de l'expérience vécue.

Celui de Singapour était fonctionnel et efficace, bien conçu et bien adapté. Il donnait l'impression que quelqu'un avait calculé à l'avance combien il coûterait et que tout avait été payé dans les temps.

Heathrow, en revanche, est un fouillis, une pagaille prétentieuse, il est lent et incommode, comme un navire perpétuellement reconstruit en mer. Le personnel y est à peine poli et abuse de ses pouvoirs mesquins. Je n'ai jamais oublié une scène à laquelle j'ai assisté là-bas il y a des années : un fonctionnaire de l'immigration ricanant tourmentait un étudiant chinois à l'air sérieux, incapable de comprendre son accent geignard du Middlesex.

La séduction du nouvel aéroport de Djakarta, construit comme une maison traditionnelle ouverte au monde, n'était que superficielle. L'ensemble évoquait assez une Pizza Hut géante. Des soldats désœuvrés y montaient la

---

1. D'après Charles Dickens, *Un Conte de Deux Villes*. *(N.d.T.)*

garde, moulés dans des uniformes à l'étroitesse frisant l'indécence, qui semblaient les laisser sans rien avoir à faire de leurs mains. Si on croisait leur regard, ils rougissaient et s'intéressaient soudain à leurs chaussures. On nous dirigea vers deux queues différentes, ceux qui avaient des visas, et ceux qui n'en avaient pas. J'étais dans ce cas. Ils nous demandèrent en indonésien, un par un, pourquoi nous n'avions pas de visa. Après une hésitation rituelle, ils laissaient passer tout le monde.

« Pourquoi pas de visa ?

— Parce qu'à l'ambassade, à Londres, ils m'ont expliqué que je n'en avais pas besoin. »

C'était ma première phrase en indonésien adressée à un Indonésien. Est-ce que ça marcherait ? Vue de l'extérieur, une langue ressemble toujours à une fiction peu plausible. Le fonctionnaire marqua un temps d'arrêt, fronça les sourcils, puis son visage s'éclaira d'un grand sourire.

« Très bien, dit-il en me tapotant paternellement le bras. »

À cet instant, je sus que tout se passerait bien en Indonésie.

De l'autre côté de la barrière m'attendait le tapage rauque d'une multitude de gens fatigués et en sueur qui marchandaient avec l'indignation rituelle. Un homme trapu m'aborda. Une cicatrice au-dessus de l'œil, des cheveux plats et gras et des vêtements vraiment crasseux. Un pirate, à l'évidence. En fait, il devait se révéler très serviable. Nous avons commencé à discuter du prix de la course. Il parut choqué par mon fiel, acquis à l'école autrement plus dure de l'Afrique de l'Ouest.

« Ne suis-je pas un homme comme toi ? Mes enfants ne doivent-ils pas manger ? Pourquoi m'insulter en me demandant autant, et ainsi de suite…

— Oh, ça va ! dit-il. Le prix normal, c'est quatorze mille. »

Il m'emmena jusqu'à une minuscule camionnette délabrée, qui détonnait au milieu des longues limousines. Un autre homme baraqué et à l'air suspect monta avec nous. En Afrique de l'Ouest, la situation m'aurait paru des plus fâcheuses. Deux contre un. La voiture s'arrête dans un endroit désert. Un couteau sort dans l'obscurité. Comme d'habitude, j'ai hésité, découragé par mon manque d'aisance avec la langue. C'est très difficile d'être à la fois résolu et incohérent. Trop tard. Nous étions partis.

Mes compagnons conversaient dans une langue aux consonnes dures et aux voyelles roucoulantes qui m'était inintelligible. Ce devait être du batawi, le dialecte de Djakarta. Nous nous sommes présentés les uns aux autres d'une manière presque obséquieuse et avons échangé des cigarettes au clou de girofle. Sourire général. J'ai appris le mot pour allumettes.

Le conducteur se lança dans une longue tirade que je n'ai pas réussi à suivre, réduit une fois de plus au mutisme, hochant la tête en signe de feinte compréhension. Un mot revenait sans cesse : *cewek*. Il semblait toujours associé à des idées d'infortune. Qu'est-ce que ça pouvait bien être ? Le gouvernement, le prix de l'essence, un terme métaphysique de la foi musulmane ? À la fin, il me sembla qu'on attendait un commentaire de ma part.

«Que veut dire *cewek*?» m'entendis-je les interroger d'une voix chevrotante comme si je demandais une définition du jazz.

Ils se tournèrent ensemble et me fixèrent.

Cewek? Ils levèrent les mains devant leur poitrine comme s'ils soupesaient des melons et dessinèrent des courbes sinueuses dans l'air. Ah! le terme d'argot pour les femmes, sans doute. Quelles propositions avais-je bien pu accepter?

Nous foncions dans l'obscurité. Des arcs de triomphe en aggloméré se dressaient au bord de la route. Des inscriptions promettaient quarante ans de liberté. Un rougeoiement dans le ciel et une puissante odeur dou-ceâtre, mélange d'excréments humains, de fumée de feu de bois et d'essence de mauvaise qualité, annoncèrent la ville. Des feux qui scintillaient dans le noir, des wagons, des camions incendiés, des ombres fouillant des amon-cellements d'ordures, des cabanes dévastées. Étais-je venu souvent en Indonésie ? Non, c'était ma première visite. Alors, où avais-je appris à parler ? À Londres. À Londres, on pouvait apprendre ? Ah ! c'est bien. Oui. Est-ce que les *cewek* anglaises aimeraient les hommes indonésiens ? Elles les adoreraient. Mais n'étaient-ils pas trop petits ? C'est dans les petits paquets qu'on trouve les plus beaux cadeaux. Wouah ! Ça, c'est vrai ! Sourires jusqu'aux oreilles. Maintenant, au sujet de cette *cewek*... Où allons-nous ? Non, non. Demain. J'étais fatigué. Juste un hôtel. Pas trop cher.

Ils ne furent pas du tout déconcertés. D'autres ciga-rettes. En temps normal, je ne fume pas, mais c'est un moyen pratique pour établir le contact. Nous nous sommes garés devant un petit hôtel. Échange de cris. Complet. Essayons au coin de la rue. Complet aussi. Voyons le nouvel endroit, là-bas. Troisième arrêt devant un édifice anonyme, où des ampoules nues brillaient sur du béton frais. C'était bon marché. Tout avait l'air abso-lument dépouillé, mais propre. Nous sommes montés dans les étages par l'escalier. Ils m'ont accompagné. Puis nous avons pris une échelle et nous sommes arrivés sur le toit. Il y avait une petite cabane en bois, un lit dur, un ventilateur. Parfait. Les hommes du taxi étaient ravis. Voilà, ils m'avaient emmené dans un endroit bien. D'autres cigarettes, des poignées de main.

C'étaient des étudiants de Manado qui tenaient l'hô-tel, des chrétiens qui ressemblaient à des Chinois et qui avaient des liens de parenté étroits, quoique mal définis, avec le propriétaire. Pour certains, ici comme en

Occident, le terme « étudiant » est un euphémisme pour « oisiveté dissolue ». Mais pas pour Piet.

À peine avais-je franchi la porte qu'il m'a sauté dessus. J'avais commis l'erreur d'écrire « professeur » sur le registre de l'hôtel.

« Je suis étudiant, annonça-t-il avec une grande fierté.

— Quelle matière ?

— *Filsafat*. (En indonésien, la philosophie est une matière adipeuse [1].) J'ai lu Aristote et Sartre et John Stuart Mill. Je voudrais parler de ma thèse avec vous. Je l'ai intitulée : *Le Dilemme de l'homme dans un monde postexistentialiste*.

— Euh… Je ferais peut-être mieux de manger d'abord. Où dois-je aller ? »

On m'indiqua un autre endroit où des jeunes gens faisaient cuire des nouilles dans un ancien garage, tout en se servant à tour de rôle d'une machine à écrire.

« Vous devez nous excuser. Nous sommes étudiants en journalisme, mais nous n'avons qu'une seule machine. »

Ils pianotaient, faisaient de la friture et bavardaient dans la chaleur torride de Java ; ils parlaient le dialecte de leur île natale, Bornéo. Ils me comprenaient, mais pas moi. En dernier recours, ils m'ont dactylographié des messages en indonésien.

C'était un étrange quartier, très chaleureux et très humain, après Singapour. Des habitations pour les classes moyennes y côtoyaient des logements pour les pauvres. Sur les artères principales s'ouvraient des ruelles grouillantes de monde, où l'on vivait comme dans un village et non dans une ville. On y récurait les enfants sans ménagement, on y préparait les repas, on y gagnait un peu d'argent. Ce n'étaient pas les visiteurs qui manquaient, mais les Indonésiens saluaient l'étranger de la

---

1. *Filthy fat*, graisse dégoûtante. *(N.d.T.)*

main et lui souriaient ; ils effrayaient leurs enfants en proposant de les lui donner et riaient de leurs larmes. À toute heure du jour et de la nuit, des gosses nus étaient expédiés en rang et au pas de gymnastique aux bains municipaux. Un panneau affirmait à un monde incrédule : « Deux enfants, c'est suffisant. » Des vendeurs de nourriture ambulants erraient sans but. Une femme folle courait dans le quartier en grimaçant.

Des deux côtés de la rue coulaient, ou plutôt stagnaient, des égouts à ciel ouvert, bloqués par des détritus. À la prochaine pluie, ils déborderaient, mais il ne pleuvrait pas avant plusieurs mois. Les enfants y faisaient naviguer des bateaux. Un homme y pêchait des grenouilles qu'il mangerait.

Dans l'obscurité, je suis tombé dans un de ces ruisseaux. Consternés, les étudiants en journalisme me fourrèrent un savon entre les mains, en roucoulant des mots de réconfort.

« Quand tu partiras, on te raccompagnera, sinon les travestis vont t'attraper. Ils attendent les riches Américains à la sortie de l'hôtel. Ils sont très forts. »

Mais, à mon retour, c'était Piet qui m'attendait. Il agita la photocopie d'un article dans ma direction.

« S'il vous plaît, j'ai des problèmes avec Einstein. »

Il parlait comme si Einstein était un enfant récalcitrant.

« C'est cette phrase en anglais : "L'espace est infini mais non sans limites." Qu'est-ce que ça peut bien signifier ? »

Nous nous sommes battus une demi-heure avec. C'est alors qu'il m'avoua avoir un dictionnaire. Il le gardait sous son lit avec le réfrigérateur, le téléphone et toutes ses autres possessions de valeur. Dessus, il y avait un mélange de cousins constamment renouvelé, comme des pullovers en solde de chez Harrods. Ils arrivaient d'un pas nonchalant. Ils dormaient. Ils repartaient d'un pas tout aussi nonchalant. Ils en émergeaient à toute heure en se grattant. Seule la vigilance constante de Piet empêchait l'importation de *cewek*.

« Si mon oncle trouvait des femmes ici, il nous jetterait tous dehors. Juste comme ça. C'est un homme bien.

— Oui, je vois. »

Une légère brise, bienvenue par cette chaleur abrutissante, soufflait sur le toit. Mais les moustiques bourdonnaient déjà aux fenêtres. Il était temps de fermer les écoutilles et de dormir.

Je fut réveillé en sursaut à quatre heures et demie du matin par quelqu'un qui hurlait dans mon oreille. Un incendie ? Non. Il annonçait joyeusement qu'il était quatre heures trente, heure de l'Indonésie occidentale. Il semblait utiliser un haut-parleur, pour ça.

Je jetai un regard embrumé par la fenêtre. Le minaret d'une mosquée se dressait à une trentaine de mètres de là. Les gueules de deux haut-parleurs jumeaux étaient pointées vers moi, menaçantes. Avec un fort grésillement, un second muezzin disputa au premier l'espace aérien, puis un troisième entra dans la danse. Quand les prières commencèrent sérieusement, à cinq heures, j'étais le point de mire personnel de cinq mosquées aux sons amplifiés qui beuglaient chacune une partie différente du message, comme pour me faire savoir que le salut m'était particulièrement indispensable. Leur piété secouait toute la cabane. À la fin des prières, le vacarme aurait dû cesser, mais c'était vendredi et les ondes aériennes furent consacrées alors à d'austères messages sur l'obéissance aux parents et la Parole sainte.

Depuis mon toit, je voyais tout le quartier vaquer avec détermination à ses occupations, comme les Londoniens pendant une attaque aérienne. De l'autre côté de la rue, le patron d'un atelier de confection de chemises agitait la main et montrait ses lapins — une nouvelle spéculation. Il y avait déjà des enfants partout, ils chassaient les pigeons et jouaient au football. L'un d'eux, à qui une terrible coupe de cheveux donnait justement l'air d'un lapin écorché, était traîné par son père à la mosquée, malgré ses protestations. Il m'adressa un large sourire.

« Pourquoi tu ne viens pas aussi ?

— Peut-être demain. »

Un vendeur de *satays*[1] affûtait ses couteaux avec jubilation, tel un tueur fou. C'était un spectacle de gens ordinaires gagnant difficilement leur vie.

J'entendis soudain une toux polie derrière moi. Piet, encore humide d'une douche, serrait un gros livre entre ses mains. Bien sûr, il était chrétien et n'irait pas à la mosquée.

« Rien n'ouvrira avant des heures, dit-il. On peut s'asseoir et lire ma thèse ensemble. »

Une bonne heure plus tard, il considéra enfin que j'avais manifesté une attention suffisamment recueillie à ce qui s'avérait être un ouvrage d'une grande érudition, mais alourdi par une classification scolastique obsessionnelle. Difficile de savoir quoi répondre.

« Très complet. »

Piet fut ravi.

« Ne vous inquiétez pas, nous aurons tout le temps d'en rediscuter plus tard. Cette version n'est pas définitive. »

Il avait affiché un nouveau règlement au pied de l'escalier : on n'avait plus le droit d'apporter des fusils chargés dans les chambres. Piet s'efforçait aussi d'interdire l'importation de *cewek,* sauf si l'on pouvait produire une preuve de lien matrimonial. Hélas, la subtilité de la terminologie anglaise en ce domaine délicat lui avait échappé. On lisait : « Il est interdit de pénétrer les femmes sauf par leurs maris. »

C'était un bon jour pour visiter les musées et prendre contact avec la communauté universitaire. Ce soir, je

1. Brochettes de viande cuites au charbon de bois avec une sauce épicée. *(N.d.T.)*

prendrais l'autocar de nuit pour Surabaya, à l'extrémité orientale de Java, où j'embarquerais sur le bateau pour Sulawesi.

Tout le monde m'avait parlé de la dextérité des pick-pockets de Djakarta. L'habileté de leurs voleurs semblait inspirer une fierté perverse aux Indonésiens, comme aux Anglais la méchanceté absolue de leurs hooligans ou le sang-froid des cambrioleurs du *Train postal.* Ces avertissements répétés m'avaient poussé à acheter une large ceinture bizarre qui pouvait contenir de l'argent et les documents vous conférant une existence officielle. Je la mettais pour la première fois.

Je suis parti avec entrain, trempé de sueur et affublé d'une bedaine coloniale.

J'ai passé ma journée en trajets inutiles à travers la ville, en bus, en taxi, à pied et en *bajai,* un triporteur mû par un moteur de tondeuse à gazon en phase terminale. Je fus accueilli avec une immense déférence dans tous les établissements publics, où l'on m'obligea, chaque fois, à signer le livre d'or. Si je demandais à voir quelqu'un de particulier, cependant, il s'avérait qu'il ou elle n'était pas encore arrivé(e), était déjà parti(e) ou se trouvait en réunion. Le retour de ladite personne était toutefois imminent, mais on n'était sûr de rien. On m'annonça ainsi avec un grand sérieux qu'une dame que l'on m'avait recommandé de rencontrer venait juste de quitter son bureau. Je découvris par la suite qu'elle était en Australie depuis deux ans.

J'ai donc changé de tactique et j'ai essayé d'appeler les gens avant mes visites. C'est là que j'ai commencé à regretter ces téléphones de Singapour qui cliquetaient et bourdonnaient mais établissaient à tous les coups la communication. Je me suis joint à une queue devant une cabine occupée par un homme à la corpulence gigantesque qui se livrait au genre de bavardage indolent caractéristique de ceux qui se retranchent dans ce genre d'endroit. Le soleil cognait.

Le trafic crachait son grondement empoisonné. Un policier sortit d'un bureau proche et m'adressa un grand sourire. Je le lui rendis avant d'essuyer mon front en un geste d'exagération comique. Il hocha la tête en direction de l'homme dans la cabine et mima des mouvements de lèvres avec ses mains. Je répondis d'un hochement de tête identique. Il me fit signe d'approcher.

« Utilisez mon téléphone », me dit-il.

J'ai passé plusieurs appels et lui ai proposé de les payer, mais il a refusé d'un geste de la main.

« Content d'avoir fait votre connaissance. Bienvenue à Djakarta. »

Les premiers coups de téléphone dans une langue étrangère sont intimidants. Le fil ténu de la communication est menacé de toutes parts. Si les gens murmurent ou s'ils crient, s'ils ont de drôles d'accents ou s'ils parlent vite, s'ils toussent ou si un camion passe à proximité, tout l'édifice s'effondre. Un appel téléphonique obéit à des conventions particulières. Partout dans le monde ou presque, les gens commencent par « Allô ! » ou l'équivalent le plus proche permis par leur phonétique. Souvent, pourtant, ce n'est pas une façon de dire bonjour, comme en anglais, mais juste une espèce de signal de connexion, et il faut immédiatement enchaîner avec les salutations appropriées sous peine de passer pour un malotru. Quand le téléphone était nouveau et déroutant en Angleterre, et que son étiquette était encore en phase d'élaboration, on se demandait s'il fallait commencer par « Allô ! » ou « Ohé ! ». Désormais, c'est « Allô ! » partout. Mais on est déconcerté aussi quand, en pleine conversation, on se rend compte soudain qu'on n'a aucune idée des conventions qui permettent de conclure. Doit-on lancer un « À bientôt, j'espère ! » ou bien raccrocher sur un joyeux « À la prochaine ! », alors qu'on n'a jamais rencontré son interlocuteur ? Mes premières conversations se sont éternisées, bien au-delà de leur conclusion normale. Et puis j'ai appris le mot *da* : « au revoir », « c'est fini ».

Difficile aussi de savoir comment s'adresser aux gens. Pour s'adapter à l'ère des communications à distance, les Indonésiens ont dû inventer un nouveau mot pour le *you* anglais qui règle toutes les questions de différence d'âge, de statut et de politesse quand on parle à quelqu'un. Chaque fois que je l'ai essayé au téléphone, pourtant, tout le monde s'est moqué de moi.

Il était temps de m'occuper de mon ticket d'autocar. Piet démêla deux de ses cousins de la pile, sur le lit, et les chargea de m'obtenir une place. Un nouvel avis annonçait une augmentation du prix des chambres.

« Pas pour vous, cependant, me dit Piet. Vous êtes un ami. »

L'un des nombreux côtés merveilleux des Indonésiens, c'est leur incapacité à entretenir des relations abstraites, formalistes. Hormis dans les plus grands hôtels, il est pratiquement inévitable que vous finissiez par manger dans la cuisine en expliquant vos ennuis. En une semaine, vous êtes devenu un membre de la famille et ses soucis sont les vôtres. Dans une culture qui, par tradition, ne possède pratiquement pas de noms de famille, les prénoms permettent normalement de s'adresser à quelqu'un et sont le moyen de contourner tous les problèmes du vous et du je. Il est donc peu commode de communiquer avec quelqu'un dont on ne connaît pas le prénom puisque, en parlant à Piet, on aura tendance non pas à dire « Êtes-vous occupé aujourd'hui ? » mais « Piet est-il occupé aujourd'hui ? ». Du coup, les rapports baignent rapidement dans un doux océan émotionnel.

Dans une culture étrangère, on régresse vite à un stade de dépendance infantile. C'est mortifiant de devoir être aidé pour traverser la rue. Je n'y arrivais tout simplement pas. Le problème ne venait pas, comme c'est souvent le cas, du changement du sens de la conduite, puisque les Indonésiens roulent à gauche comme les Anglais. C'est plutôt que leurs techniques sont totalement différentes. En Angleterre, on attend un trou dans la circulation et on passe, tout simplement. À Djakarta, il n'y a pas de trous. On descend sur la chaussée et on négocie avec les conducteurs qui arrivent. Ils ralentissent juste ce qu'il faut pour vous laisser passer en vitesse devant eux, et aussitôt après ils accélèrent de nouveau. Vous savez lequel vous permettra d'avancer et lequel ne le fera pas — du moins les gens du cru le savent-ils. Pour l'étranger, traverser une rue signifie hurlements de freins, chocs évités d'un cheveu et grande confusion. Les deux cousins m'ont fait visiter le cœur de la ville avec un calme proche de la sérénité, comme s'il n'y avait pas de circulation du tout ; en chemin, ils m'indiquaient du doigt les choses intéressantes.

« Ici, tu peux acheter des glaces, mais elles vont te rendre malade. Toutes ces statues ont été dressées par Sukarno, le père fondateur de l'indépendance indonésienne. On a un nom grossier pour chacune d'elles. Voici le grand magasin. »

On est entrés dans un gratte-ciel trapu au sommet enveloppé d'une toile goudronnée, comme un cadeau destiné à un enfant géant qui s'en serait désintéressé avant d'avoir fini de le déballer. Des écoliers en uniformes immaculés formaient la quasi-totalité du personnel. Sur les présentoirs, les marchandises étaient disposées de façon à occuper le moindre bout d'espace disponible. Les écoliers se précipitaient sur les rares clients et enveloppaient tout avec enthousiasme, jusqu'aux crayons. Il fallait passer par au moins trois étapes distinctes pour n'importe quel achat. Cela me rappelait quelque chose. Ah oui, la Russie !

Les cousins furent stupéfaits.

« Comment le savez-vous ? Ce sont les Russes qui ont

construit ça, quand on pensait que les communistes étaient une bonne chose. »

Nous avons continué notre chemin et avons acheté un ticket d'autocar à une femme vive et efficace dans un bureau immaculé. Celui-ci se trouvait près d'un canal obstrué par des détritus et des excréments. Il nous fallut enjamber un chat crevé pour entrer. Et puis les cousins m'ont ramené à l'hôtel. Ils me tenaient la main pour traverser les rues. J'avais vu la foire des produits indonésiens ? Non. (Ça avait l'air sinistre.) Alors, ils allaient m'emmener.

Nous nous sommes traînés dans la poussière et les gaz d'échappement jusqu'à un immense parc. Alors que nous passions devant un poste de police proche d'une cabine téléphonique, un policier agita la main dans ma direction. Les cousins furent impressionnés.

« Il vous connaît ? Pourquoi fait-il comme une bouche avec ses mains ? »

La foire avait pour but de faire comprendre au peuple le grand nombre de bonnes choses que l'Indonésie fabriquait — et qu'il n'était donc pas nécessaire d'importer. Pour un Anglais, tout cela avait l'odeur plutôt fade et familière du « Achetez britannique ». Partout des étals exposaient tous les genres de chaussures, de paniers pour cuire le riz à la vapeur, de meubles, de cigarettes au clou de girofle. Une galerie proposait de très vilaines sculptures modernes d'Irian Jaya sous la dénomination de « culture indonésienne traditionnelle ». Pourtant, les visiteurs semblaient s'amuser plutôt plus qu'on n'aurait pu s'y attendre avec un pieux événement de ce genre en Occident. Ils mangeaient et ils buvaient avec enthousiasme. Un festival pop battait son plein, et la musique était d'autant plus agréable que tous les micros étaient en panne. On promenait des enfants aux yeux écarquillés sur de grands plateaux de bois tirés par des tracteurs. Il y avait des maquettes et des plans dans tous les coins. Visiblement, les Indonésiens étaient très forts pour ça. Tout un monde imaginaire de constructions et de projets de développement s'épanouissait dans des boîtes en Plexiglas.

Dans les rues, des jeunes gens vendaient des chapeaux de Garuda, l'Homme-Oiseau, fabriqués avec du carton et des guirlandes, et parés de plumes teintes de pourpre et de vert. J'en choisis un sans ornement. Les plumes me rappelaient trop Bugis Street. L'effet était des plus saisissants. Deux ailes or et rouge se déployaient au-dessus du front de celui qui le coiffait, et au centre se dressait la tête féroce d'un rapace, ouvrant le bec pour exterminer serpents et autres nuisibles. Un vénérable gentleman indonésien qui arborait un semblable couvre-chef se précipita sur moi pour me défier dans un simulacre de combat de coqs. C'était vraiment idiot, mais très drôle.

Au moment du départ, un enfant nous accosta; il était très mignon, presque angélique, avec d'attendrissants yeux marron et les cheveux en brosse d'un hérisson. Il découvrit sa dentition parfaite et montra mon chapeau du doigt.

«Tu me donnes ce chapeau?»

Il était difficile de refuser. En fait, je l'avais acheté pour Piet. Mais alors, l'enfant gâcha toutes ses chances.

«Donne-moi de l'argent.»

Immédiatement, nos cœurs se durcirent. Les cousins exprimèrent leur désapprobation.

«C'est mon chapeau! dis-je fermement. Je l'ai acheté pour un ami.»

Les yeux craquants devinrent grenat. L'enfant fronça les sourcils, sous l'effort de la concentration, et lâcha dans un anglais parfait :

«Monsieur vieux cochon!»

Sur ce, il s'enfuit en courant avec un geste que les cousins refusèrent de m'expliquer.

Il est très difficile d'associer le mal à la beauté, or beaucoup d'Indonésiens sont vraiment très beaux. Le premier problème, quand on travaille ici, est exactement le contraire de celui que l'on rencontre en Afrique. Là-bas, il faut surmonter une appréciation initiale négative, face à une culture dont l'essentiel paraît déplaisant. La qualité du travail d'un ethnologue dépend de ses capacités à vaincre ce genre de jugements de valeur — les préjugés culturels, comme on dit. Jusqu'à présent, l'Indonésie m'avait offert un visage si séduisant, un accueil si sympathique et chaleureux qu'il était difficile d'aller chercher les défauts qui se cachaient sûrement là-derrière. Parler à des Africains de l'Ouest, c'est toujours un combat : on a perpétuellement conscience de se battre pour essayer de comprendre, de construire un pont entre deux mondes et de tout passer au filtre du double sens. Les Indonésiens, eux, semblaient être « juste des gens ».

Certains événements sont si embarrassants que, des années plus tard, ils peuvent vous revenir à l'esprit dans un ascenseur, ou en pleine rue, ou encore au moment où vous essayez de vous endormir, et vous tirer alors une grimace, voire un gémissement. J'ai vécu cela à Djakarta.

J'avais calculé que j'avais juste le temps de faire un saut au théâtre avant le départ de l'autocar. La télévision indonésienne est très mauvaise, c'est peut-être la pire du monde. Un des avantages de la chose, c'est que le théâtre traditionnel est resté florissant. Dans de nombreuses villes de Java, la musique, la danse et les spectacles de marionnettes attirent toujours un public important. J'avais entendu parler d'une troupe de *wayang orang*, une forme de théâtre fondée, comme pour les marionnettes, sur les anciens textes hindous, mais où les personnages sont interprétés par de véritables acteurs. Piet m'avait vivement conseillé d'y aller.

« C'est fascinant. Les femmes sont particulièrement bonnes, mais elles sont toutes jouées par des hommes. On ne voit pas la différence. »

Je pris donc mes bagages et partis, prévoyant de rejoindre ensuite directement mon autocar. L'un des acteurs, très aimable, m'invita à venir assister en coulisse au maquillage de ses collègues. À mon entrée, ils m'adressèrent un joyeux salut de la main puis se mirent à glousser en se tartinant les uns les autres avec un fond de teint clair. Dans un coin, l'un des hommes tenant un rôle féminin se peignait le visage avec soin.

Le *wayang orang* est extrêmement exigeant d'un point de vue physique, car les acteurs doivent imiter les mouvements raides et stylisés des marionnettes. Certains se tenaient debout sur la tête, d'autres s'échauffaient comme des athlètes. Un peu plus loin, un petit orchestre répétait. Désireux de me montrer poli, j'ai complimenté le travesti pour la qualité de son imitation. Dans la sécurité de ce vestiaire strictement masculin, j'ai fait remarquer que ses seins étaient particulièrement convaincants.

Il y eut un silence. Mon acteur rougit, l'air furieux.

«Là, c'est à ma femme que vous parlez», dit un homme calmement.

Je me suis replié dans la salle en balbutiant des excuses, me jurant d'étrangler Piet si je le revoyais. Je me sentais vraiment très mal, un Occidental grossier et empoté de la pire espèce. Du coup, je fus incapable de m'intéresser à la pièce, et ravi lorsque vint le moment de partir.

C'était un autocar climatisé aux vitres teintées. Dehors, les deux cousins agitaient les mains dans un adieu larmoyant. Ils étaient venus me voir partir. J'étais assis à côté d'un Français, le genre sévère et ascétique, un disciple de la raison et des vertus roboratives de l'abnégation. Il était là pour écrire un article sur les dispensaires indonésiens. Il était très ennuyeux.

Les vitres teintées écrasaient les couleurs et les réduisaient à ce clair-obscur gris et fatigué des hivers anglais. La fraîcheur de l'air renforçait cette impression, si bien qu'il semblait absurde, en regardant dehors, de voir de la poussière et des étals de bananes au lieu de la pluie graisseuse d'une autoroute européenne.

Quand nous étions montés, on nous avait offert une petite boîte contenant du lait aromatisé et un gâteau rose, jaune et vert. Le Français avait refusé le sien.

« Sûrement des colorants toxiques… »

Les sièges étaient conçus pour des jambes asiatiques et deux Occidentaux n'entraient qu'avec difficulté dans l'espace disponible.

À une époque, les anthropologues expliquaient pratiquement tout par l'éducation des enfants, de la Révolution russe à la fréquence des divorces. Bien entendu, cette théorie était plus populaire aux États-Unis qu'en Grande-Bretagne, où elle était considérée comme une invention inutile typiquement américaine. Pendant mes études, on m'avait incité à tourner en dérision les théories selon lesquelles l'emmaillotement favorise un caractère colérique et le rude apprentissage de la propreté un manque d'assurance. D'une façon ou d'une autre, on avait l'impression que les Indonésiens avaient lu tous ces livres et qu'ils y croyaient.

Dès leur plus jeune âge, on console les enfants avec un gros polochon surnommé « la femme du Hollandais ». S'ils pleurnichent ou s'ils sont grognons, on les couche avec leur polochon, qu'ils serrent jusqu'au moment où ils trouvent le sommeil. On attend des jeunes gens qu'ils se pelotonnent contre ces chastes compagnons de lit jusqu'à leur mariage. Plus tard, les mariés doivent sans doute dormir étroitement enlacés pour compenser la perte du polochon de leur enfance. Du coup, les Indonésiens qui n'ont rien à serrer dans leurs bras ressemblent à ces fumeurs de pipe sans rien dans la bouche, perpétuellement agités et distraits. Dans les rues, on les voit qui se mettent, tout en discutant, à enlacer les lampadaires, les angles des murs de brique, les ailes de leurs voitures, ou leur interlocuteur. Ils sont marqués par ce besoin impératif d'étreinte.

Dès que l'autocar eut démarré, des passagers commencèrent à se serrer les uns les autres et à s'endormir. Comme les cousins empilés de mon hôtel — ou un panier de chiots —, ils entrelacèrent leurs jambes et appuyèrent mutuellement leurs têtes sur leurs poitrines. Des étrangers négociaient des droits d'étreinte pour trouver le sommeil. Le Français et moi, nous restions soigneusement éloignés l'un de l'autre, évitant même les frôlements de genoux.

Il eût été difficile de dormir, de toute manière, car le chauffeur démarra sur les chapeaux de roue, occupa fermement le milieu de la route, doubla sans visibilité dans les virages et força les véhicules venant en sens inverse à se réfugier sur le talus. De temps en temps, il rencontrait une âme sœur, un camionneur ayant adopté la même tactique. Ils fonçaient alors l'un vers l'autre à tombeau ouvert et attendaient la dernière seconde pour admettre leur parenté en une folle et vertigineuse embardée.

Un téléviseur diffusait un film de production locale. Le public l'adorait et un certificat confirmait qu'il convenait aux musulmans. Je l'ai trouvé pénible car il éveillait chez moi le souvenir d'événements récents.

C'était une histoire hilarante qui relatait les destinées d'une maisonnée dont le vénérable chef de famille hébergeait une nombreuse domesticité aux vils instincts, un essaim de bonnes d'enfants nubiles et, inévitablement, un travesti à la fois boxeur et dame de compagnie. L'intrigue tournait autour de la grossesse d'origine indéterminée d'une des servantes, mais il y avait une complication supplémentaire : par le biais d'une confusion linguistique, c'était le travesti qui était supposé attendre un enfant.

Pause repas. Les passagers se démêlèrent et descendirent. La nourriture était simple et raisonnablement saine, mais le problème le plus urgent, c'étaient les WC.

Notre car possédait ses propres toilettes, mais elles étaient barricadées par les cinq valises par personne, au minimum, entassées dans l'allée. Une fois à l'intérieur, on ne pouvait ressortir qu'au prix d'une formidable volonté collective.

Un Occidental a des problèmes pour se soulager dans les lieux publics, même si l'équipement est rudimentaire — deux repose-pieds de part et d'autre d'un trou central. Ici, comme en Union soviétique, il n'y a pas de papier, mais au moins l'eau ne manque pas. La conception de base ne favorise pas les porteurs de pantalons. Les Indonésiens, comme on peut s'y attendre, se débrouillent très bien, mais les Occidentaux en ressortent généralement avec l'air d'avoir été arrosés par un farceur.

Pour l'homme, uriner en public est tout aussi délicat, car cette opération implique des contraintes techniques majeures dans les domaines de la décence et de l'hygiène. On ne peut utiliser que la main gauche, mais seule la main droite est autorisée à entrer dans l'eau qui sert à se laver. J'ai noté avec plaisir qu'à son retour le Français avait l'air d'être passé sous un tuyau d'arrosage.

Les passagers remontèrent à bord et se réemmêlèrent, tandis que le Français et moi reprenions nos postures de soldats au garde-à-vous. Nous avons traversé dans une obscurité totale quelques-uns des plus beaux paysages du monde.

Étymologiquement, d'après le dictionnaire, *travel* vient de l'ancien français *travail,* au sens de peine, épreuves. Ce fut à Surabaya que le langage réaffirma son emprise sur la réalité. J'avais imaginé que je n'aurais qu'à quitter l'autocar et à embarquer sur le bateau pour prendre la mer dans le soleil levant. Mais les choses ne devaient pas se passer ainsi.

Le chauffeur était parti avec une heure de retard, mais il était arrivé à Surabaya avec une heure d'avance. Nous sommes descendus dans les ombres de l'aube ; la fraîcheur de l'air laissait présager une journée torride. L'homme, à la gare routière, se montra accueillant. Il était trop tôt pour aller en ville. Je pouvais laisser mes bagages ici. Une douche me ferait-elle plaisir ? Je n'ai découvert que plus tard l'étendue de sa gentillesse. La sécheresse frappait la ville. L'alimentation publique en eau avait été coupée. Il fallait acheter l'eau, à grand prix, à des négociants possédant des camions-citernes. Si je l'avais su, je me serais montré moins prodigue du contenu de sa cuve. C'était le dispositif habituel : dans une pièce cimentée se trouvait une cuve d'eau que l'on faisait simplement couler sur sa tête. La radio diffusa un sermon où je reconnus les mots « cupidité » et « concupiscence ». Je n'avais pas encore appris les autres vices.

Comme d'habitude, un Indonésien fut heureux de reprendre le fardeau de l'homme brun et de s'occuper de moi. C'était un homme décharné, ascétique, qui parlait en chuchotant. Puisque je n'étais pas musulman, j'aimerais peut-être aller à l'église ? Et ensuite, me restaurer ? Puis il se tut, et il me fut impossible de lui tirer deux mots supplémentaires.

Nous avons mangé dans un silence de plus en plus oppressant. Il repoussa toutes mes tentatives de payer et sortit fièrement des papiers qu'il étala sur la table. C'étaient des brochures décrivant des interrupteurs anglais en plastique. Il avait failli devenir ingénieur pendant la révolution, mais à cette époque il y avait tant de politique et si peu d'argent... Puis l'armée anglaise était venue détruire la ville, et finalement il s'était retrouvé électricien. Les interrupteurs japonais étaient moins chers que les anglais, mais les anglais étaient meilleurs. Le barrage avait cédé. Maintenant, un torrent de paroles s'écoulait de lui — un artisan discutant avec fierté et passion du métier qu'il avait pratiqué toute sa vie. Il me décrivit avec un luxe de détails les problèmes d'installation des câbles dans une habitation, et en échange il souhaita entendre parler de cette merveille : le chauffage central. J'eus toutes les peines du monde à lui échapper. Il me poursuivit dans la rue. S'il vous plaît, les fils sont de quelles couleurs en Angleterre ? Lesquelles sont mieux, les prises à trois broches ou celles à deux broches ? Je grimpai dans un *trishaw* qui m'emporta à grands coups de pédales. Dans la chaleur qui montait, la sueur commençait à me chatouiller autour de ma bedaine amovible. Debout au milieu de la route, l'électricien agitait ses brochures en signe d'adieu.

Quand j'ai voulu attraper un bus pour rejoindre le port, c'est un autre homme qui m'a pris en charge, un Amboinais à l'air mélanésien : peau sombre, cheveux frisés et un nez presque aussi gros que celui d'un Irlandais. En mon for intérieur, je l'ai immédiatement surnommé Pak Ambon [1]. J'avais l'impression de servir de bâton dans une course de relais. Le port ? C'était difficile, un endroit de voleurs. C'était mieux s'il m'accompagnait.

Le bureau de la compagnie maritime était ce qui se rapprochait le plus jusqu'à présent de l'ethnographie dont l'Afrique m'avait laissé le souvenir. Il était bondé de gens à l'air louche, surveillés par des policiers. Mais ceux-là n'avaient rien à voir avec les policiers que j'avais déjà rencontrés. C'étaient des hommes baraqués au regard dur et aux lèvres serrées, matraque à la main, coiffés de casques métalliques avec l'insigne de l'armée. Ils se jetaient sur les nouveaux arrivants et exigeaient leurs papiers. Pour la première fois, j'ai senti la peur, cette odeur lourde qui flotte dans les bureaux des administrations en Afrique.

Pak Ambon, lui, observa la scène sans la moindre émotion et cracha par terre.

---

1. *Pak* pour *bapak,* formule de politesse envers un ancien ou un supérieur, et *Ambon* pour son île d'origine. *(N.d.T.)*

«Les vrais soldats, ça va. Mais ceux-là...»

En dépit des horaires d'ouverture affichés bien en vue, tous les guichets étaient fermés. Un sergent frappa son comptoir avec sa matraque et me fit signe d'approcher. Il me somma d'expliquer ce que je faisais ici et de présenter mon passeport. Cependant, il apparut qu'il n'avait pas décidé de me harceler, comme je me l'étais imaginé, mais qu'au contraire il voulait m'aider. À mon grand embarras, on me fit entrer par une porte latérale dans le bureau d'un homme qui délivrait les billets. Quelques minutes plus tard, j'en ressortis, l'air penaud, avec un billet valable. La mauvaise nouvelle, c'était qu'il n'y avait pas de bateau pour Sulawesi avant cinq jours. La foule me considérait sans ressentiment et Pak Ambon réapparut à mes côtés.

«Ce serait normal de mettre mille roupies dans la main du sergent. Ils ne gagnent pas de quoi vivre.»

Je me mis à plier un billet entre mes doigts.

«Merci beaucoup», dis-je.

Il y eut un bref frémissement sur les lèvres du sergent, mais l'argent disparut avec la vitesse et la grâce d'un poisson s'enfuyant dans les profondeurs marines.

«De rien.»

Je me retournai pour remercier Pak Ambon à son tour, mais il n'était pas décidé à se laisser renvoyer aussi facilement.

«Je ne peux pas te laisser avant d'être sûr que tu as un hôtel convenable. Tu es chrétien, comme moi.»

C'est toujours un peu gênant de se retrouver dans un pays où le christianisme est considéré comme une religion sérieuse et non comme un simple euphémisme pour «impiété».

Il se trouva que Pak Ambon avait été marin, dans sa jeunesse. Il fit un tour rapide des loups de mer qui étaient là. Un hôtel? Propre? Pas trop cher? Nous sommes bientôt repartis en ville à la recherche d'un hôtel appelé le

Bamboo Den [1] — joli nom oriental. Apparemment, l'établissement associait hôtel et école de langues. Ceux qui ne pouvaient pas payer leur note y enseignaient les verbes irréguliers. C'était toujours mieux que de faire la plonge. C'était une vision de l'enfer. Chaud, sale, et envahi par des cafards si sûrs de leur affaire qu'ils se postaient sur les murs pour ricaner en considérant les passants.

Pak Ambon sonna la retraite d'un geste du bras et nous embarqua dans une tournée des hôtels. Ils étaient tous excessivement chers. Aucun ne me donna envie d'y séjourner, mais je savais que Pak Ambon ne m'abandonnerait que lorsque je serais installé. Il proposa une solution. Il y avait, avança-t-il, un endroit près de chez lui. C'était, il l'admettait, un peu loin du centre, en fait c'était sur la plage, mais l'établissement était simple et propre. Les pêcheurs seraient ma seule compagnie. Cela paraissait excellent.

Nous avons grimpé à l'arrière d'un camion aménagé en bus et sommes partis dans un bruit de ferraille et un nuage de fumée bleue. Les passagers les plus chics sont descendus un à un, remplacés par des écoliers aux petits rires timides et par de vieilles femmes édentées serrant dans leurs bras des paniers de poissons. Les maisons ont cédé la place à des rizières et à de fugitives visions de sable. Soudain, il n'y eut plus de voitures, juste des motos conduites par des jeunes gens, chacun avec une fille assise à l'arrière en amazone. Ils agitaient la main et souriaient en nous doublant. Comme à chaque fois, j'ai commencé à me bâtir une image de l'hôtel que je voulais, un endroit d'une noble simplicité, sur la plage, servant une cuisine simple, dans la musique des vagues qui venaient mourir sur la grève dorée.

C'était le Disneyland indonésien, une immense construction aux couleurs criardes, avec stands de tir, manèges et grandes effigies de plâtre délabrées de Mickey

1. Le Repaire de Bambou. *(N.d.T.)*

Mouse et de Donald Duck. On pouvait acheter des glaces et du pop-corn. Et au beau milieu de tout ça se dressait un hôtel chinois : un chapelet de boîtes où régnait une chaleur étouffante. Il était visiblement destiné au sexe à la sauvette. Je suis peut-être la seule personne à y avoir jamais pris une chambre pour une journée entière. Mais Pak Ambon et moi, nous savions tous les deux que nos fardeaux mutuels de responsabilité et de gratitude étaient tels que *j'allais* passer la nuit ici. Par une heureuse coïncidence, je commençais à avoir de la fièvre. J'avais besoin d'un lit à tout prix. Nous nous sommes séparés avec de vagues promesses de nous revoir. Dans la chambre, un antique climatiseur exhalait sa mauvaise haleine et dégoulinait. Des commentaires sur les charmes des femmes du cru avaient été écrits au stylo-bille sur le matelas. Je me suis endormi en essayant de comprendre certains de ces termes.

À mon réveil, une jeune Mélanésienne de douze ans était debout au-dessus de moi, et elle riait. Hallucination ? Peu probable. Je dis bonjour.

« Bonsoir », corrigea-t-elle.

Puis Pak Ambon entra. Il tenait par la main un petit garçon à la peau sombre et il portait une espèce de présentoir à gâteau pliable.

« Voilà à manger. Mes petits-enfants ne m'ont pas cru quand j'ai parlé de toi, alors je les ai amenés regarder. »

Ils ont regardé. Tiré les poils de mes bras, admiré mon gros nez et regretté la forme espiègle des leurs. Nous avons foulé la boue gluante qui tenait lieu de plage, et je me suis montré assez imprudent pour dire que je chercherais un autre endroit où dormir le lendemain. Pak Ambon avait l'air abattu.

« J'ai manqué à mon devoir. Demain, je viens à quelle heure ? (J'ai protesté en vain.) Je ne peux pas t'abandonner. »

Le lendemain, nous avons de nouveau essayé mon

guide de voyage. Il nous dirigea sur un hôtel démoli des années plus tôt. Pak Ambon considéra que le moment était venu de se montrer ferme. Il interrogea un soldat qui gardait une banque. Ce dernier se pelotonna contre sa guérite et nous donna une adresse. Je décidai de m'y installer de toute façon. Par chance, c'était l'endroit que je cherchais, spacieux, frais, bon marché. Tout le monde souriait. Pak Ambon refusa mon invitation à déjeuner. Il ne voulut même pas me laisser payer le bus pour rentrer chez lui.

«Tu ferais la même chose pour moi si j'étais perdu en Angleterre», déclara-t-il.

Je me suis senti profondément honteux.

Je commençais désormais à connaître le style des hôtels. Le hall d'entrée débordait d'aimables oisifs.

«Non, je ne travaille pas vraiment ici. Je viens voir mon cousin.»

Des écoliers s'arrêtaient sur le chemin de l'école et regardaient la télévision, le temps de fumer une cigarette. Tout le monde fumait, même les enfants de cinq ans. Derrière l'hôtel se cachait une masseuse toute ratatinée. Elle empoignait les passants et leur écrasait les os des mains.

«Oui, je m'en doutais. Le vent est entré dans tes articulations. Tu as terriblement besoin d'un massage.»

Je ne l'ai jamais vue faire la moindre affaire.

C'était un quartier d'un genre gai et négligé, avec une voie ferrée désaffectée au milieu de la rue. Le matin, il y avait un marché aux fleurs. Le soir, on y vendait des vêtements pour enfants et des seaux en plastique. Les oisifs restaient assis à bavarder. Parfois, ils ricanaient devant une immense affiche représentant un fermier indonésien heureux avançant à grands pas, avec sa houe sur l'épaule, vers un avenir meilleur. «Migration. Une vie meilleure vous attend à Irian Jaya», disait le slogan. L'affiche me rappelait celles de mon enfance, qui vantaient l'immigration en Australie, avec un homme en maillot de bain et toge d'étudiant, un diplôme à la main. À Irian Jaya, j'y arriverais ! Les flemmards du coin n'étaient donc pas tentés ?

Mes oisifs roulaient de grands yeux. Chez eux, c'était ici. Ils avaient leurs amis et leur famille. Les indigènes les tueraient. Ici, c'était mieux.

Le soir, les hommes se changeaient et enfilaient des sarongs, bien plus légers dans cette chaleur d'étuve. Les oisifs étaient fermement convaincus que je devais en acheter un. J'ai estimé que je leur devais bien une partie de rigolade.

Les jeunes Chinoises de la boutique n'avaient rien entendu d'aussi drôle depuis longtemps.

« Vous avez vu ça ? Le *puttyman* achète un sarong ! »

Putih est le terme indonésien pour Blanc[1]. *Puttyman* est donc une espèce de méli-mélo d'anglais et d'indonésien, sans doute particulièrement évocatrice pour ces jeunes filles. Elles pouffaient.

Mes paresseux m'attendaient, les yeux brillants. Ils applaudirent de grand cœur. Ce sarong nous offrit au moins une heure d'hystérie. Apparemment, je faisais tout de travers. J'essayais de l'enfiler par les jambes au lieu de le glisser par la tête. Il était outrageusement court et dévoilait mes mollets velus et mes bottines. Les oisifs firent cause commune avec moi. Il était trop court pour un *puttyman*. Ils allaient le changer chez les Chinoises.

Ils en rapportèrent un autre, plus long, d'un orange criard. Je parvins à le nouer : il tomba. Ils l'ont noué pour moi. Mais il était si serré que je ne pouvais plus m'asseoir. La vieille masseuse se joignit à nous, ainsi qu'une autre dame âgée qui venait des îles et se rendait à La Mecque.

« Je vais mourir pendant le pèlerinage. Je connaissais Sukarno. Ma maison vaut soixante-quinze millions de

---

1. Et *putty*, en anglais, c'est un visage de papier mâché. *(N.d.T.)*

roupies. Combien avez-vous payé ce sarong ? Quoi ? Ils vous ont volé ! »

Ensuite, elle regarda la télévision en silence, en mâchant sans expression de la noix d'arec[1], tandis que sur l'écran une *puttywoman* pratiquement nue se tortillait sur de la pop music. C'était la soirée des textiles : mon sarong ; l'image cotonneuse *(ikat)* du téléviseur[2] ; la chatte au pelage en patchwork qui nous rendit visite... Pour le final, j'ai essayé de monter à l'étage dans mon sarong et me suis étalé : ils ont adoré.

Mon peu crédible guide de voyage déclarait qu'autrefois Surabaya avait été injustement négligée par le voyageur ; désormais, c'était un endroit digne de plus de considération. Mon guide, là encore, se trompait : c'est une ville industrielle et moderne où règne une chaleur étouffante ; ses constructions sont de mauvaise qualité, le centre historique ayant été pratiquement rasé par les Britanniques à la fin de la guerre. Difficile d'y trouver de quoi s'occuper pendant plusieurs jours.

Heureusement, l'un de mes fainéants connaissait la solution : nous irions au zoo. En temps normal, je me méfie des zoos du tiers-monde, car, en Anglais digne de ce nom, j'ai le cœur tendre avec les animaux. J'ai connu des zoos africains où les lions étaient coincés dans des cages minuscules et où l'on pouvait louer un bâton effilé pour les piquer près de l'œil afin de les faire rugir. Parfois les bêtes se vengeaient. Dans un autre zoo africain, les arbres de l'enclos des reptiles n'avaient pas été élagués depuis si longtemps que les serpents pouvaient se laisser tomber directement sur les visiteurs.

Mais le zoo de Surabaya était parfait. On y voyait beau-

---

1. Le fruit dont on tire le cachou. *(N.d.T.)*
2. En anglais, *fuzzy* signifie flou. En indonésien, *ikat* désigne les tissages traditionnels. *(N.d.T.)*

coup de beaux animaux qui entretenaient d'étroites relations sociales avec leurs gardiens. L'architecture impliquait une étrange classification du règne animal. Décrétés musulmans, les éléphants habitaient une espèce de mosquée en béton. Les girafes, curieusement, étaient chinoises et vivaient, l'air condescendant, dans des pagodes en tôle ondulée. Tenus pour hindous, les singes escaladaient sans cesse de minuscules stupas. Mon guide prenait un immense plaisir à tout cela.

« Il y a beaucoup de gens ici, fis-je remarquer.

— Oui, c'est l'endroit pour les prostituées. »

Comme il avait utilisé l'euphémisme *kupu-kupu malam*, « papillons de nuit », il me fallut un moment pour comprendre que la principale attraction des lieux n'était pas les lépidoptères.

Les orangs-outans (mot indonésien signifiant « gens de la forêt ») étaient le clou de la visite. Quand leur gardien vint les voir, ils bondirent vers lui avec des cris de joie et l'enlacèrent de leurs longs bras avec un besoin d'étreindre presque indonésien. Il les emporta sur sa motocyclette, l'un sur le guidon, l'autre sur le siège arrière.

Nous sommes revenus sur nos pas à travers le marché, où l'un des produits le plus en vogue était le talc Lady Diana, avec une frise de chiens de berger sur la boîte.

« Il y a un autre Anglais en ville, m'annonça l'un des oisifs. À l'université. Il enseigne l'anglais. Vous devez aller le voir.

— Allons bon ! Je ne suis pas venu en Indonésie pour rencontrer des Anglais.

— Les Anglais ne s'aiment pas entre eux ? Comme c'est bizarre !

— Comment s'appelle-t-il ?

— Godfrey Butterfield M.A.[1]. »

---

1. *Master of Arts*, maître ès lettres. *(N.d.T.)*

Godfrey Butterfield M.A. habitait un immeuble situé dans une partie assez miteuse de la cité où s'élevaient de vieilles maisons hollandaises, lépreuses d'humidité. Les stucs blancs et les volets noirs donnaient au bâtiment des ambitions vaguement Tudor. À l'intérieur, il y avait des ampoules faiblardes, des tapis en sisal, des signes d'économie. Un ascenseur grillagé et grinçant me transporta au cinquième étage. De grandes portes donnaient sur le palier. Certaines restaient ouvertes pour laisser l'air circuler, mais toutes avaient une contre-porte faite de barres d'acier comme des cellules de prison.

Un jeune Chinois apparut, seulement vêtu d'un sarong. Avec le même dessin que le mien.

« Bonjoul. Je Markus. Vous entler. Vous asseoil. Godfley lepose encole. Vous voulez boile ? »

On aurait dit qu'on m'attendait. Il me versa un énorme verre de quelque chose avec du tonic. Ah ! pas du gin, de l'alcool de riz. Signes supplémentaires d'économie. Il disparut, l'air affairé, dans une autre pièce, et j'entendis des bruits de voix. Puis il revint et agita la main comme le fait un présentateur en introduisant un artiste.

Godfrey Butterfield M.A. portait lui aussi un sarong. La soixantaine, des cheveux gris clairsemés. Des bourrelets de graisse faisaient sur sa poitrine comme des rizières en terrasses sur un flanc de colline. Ses seins de femme ballottaient quand il se déplaçait. Il s'empara du verre de quelque-chose-avec-du-tonic que lui offrait Markus, le vida d'un trait et le lui rendit pour être resservi.

« Salut ! » me dit-il sans la moindre surprise.

Il avait une voix de fumeur, des mains tachées de nicotine. Cliquetis de cuisine en coulisse. Godfrey déposa sa carcasse avec le sens de l'équilibre d'un homme déversant de la charbonnaille dans une trappe, puis il ajusta son sarong d'un geste modeste.

Mais seul le sarong était modeste chez lui. Il se lança dans un monologue ininterrompu concernant ses nombreux talents, les effets bénéfiques du climat qui lui valaient sa plastique renversante et les avantages de la droite en politique. Il ne semblait attendre de ma part aucune réponse. Puis le bruit de casseroles, dans la cuisine, donna naissance à un second Chinois, mais vêtu cette fois d'un pantalon et de lunettes.

« Godfley. Je clois chochotte-minoute sera sifflée dans trois minutes. »

La chochotte-minoute était sans doute un autre signe d'économie.

« Bien, dit vivement Godfrey, vous savez donc où vous êtes. Ça (il indiqua Markus), c'est l'épouse numéro un. Ça (autre geste en direction du jeune homme qui venait de sortir de la cuisine), c'est l'épouse numéro deux. C'est ainsi. »

Il m'étudia attentivement dans l'attente d'une réaction et n'en découvrit aucune.

« Installons-nous sur le balcon. »

C'était donc ça. Godfrey Butterfield M.A., professeur d'anglais, rejeté, comme tant d'hommes d'Oxbridge avant lui, sur ce lointain banc de sable par la marée boueuse d'une vie dédiée à la boisson et à l'homosexualité…

Godfrey Butterfield M.A. s'est assis confortablement et s'est lancé dans le récit des principaux événements de sa vie. Il ne lui vint pas à l'esprit qu'il pouvait exister un autre sujet de conversation. Je me rendais compte qu'il s'agissait d'un numéro parfaitement rodé. Tout en parlant, il braquait des jumelles vers les ouvriers légèrement vêtus qui construisaient un gratte-ciel de l'autre côté de la rue. Il semblait avoir une femme, rarement visitée, dans le sud de l'Angleterre, mentionnée sous le qualificatif de « vieille peau ». Il était venu à Singapour avec la RAF.

« Tous gay en ce temps-là ! J'en connais pas un qui ne l'ait pas été ! »

62

On l'avait détaché chez les Hollandais après la guerre, et il n'était jamais rentré.

« Voilà encore cet homme en short rouge... »

Et, en effet, un homme à la peau très sombre et vêtu de rouge commença à guider une trémie pleine de ciment. Il salua Godfrey de la main avec un grand sourire.

« Quel beau gars ! »

Il posa ses jumelles à contrecœur et se tourna vers moi.

« Vous, dit-il, vous devez être professeur. »

Ce n'était pas un compliment. Il fila se battre avec la chochotte-minoute.

L'épouse numéro un partit pour une conférence à son université. La numéro deux, Nico, me gratifia d'un décompte des nombreuses personnes belles et riches qui avaient voulu coucher avec lui et avaient essuyé ses refus. Godfrey revint enfin et nous menaça du contenu de la chochotte. Ils avaient eu un problème avec le poulet. Il nous fallut le manger sous la forme d'une espèce de confiture salée, tandis que Godfrey expliquait la nécessité d'un gouvernement autoritaire et les avantages d'une famille royale.

« Plus je passe de temps loin de l'Angleterre, expliqua-t-il, plus tout cela est évident pour moi. »

Il devait avoir du talc Lady Di dans sa salle de bains.

Le temps était venu pour moi de m'excuser et de partir. Godfrey insista pour me raccompagner en voiture. Sa Morris Minor, vieille mais en parfait état, incongrue au cœur des mystères de l'Orient, était garée derrière l'immeuble. Elle sentait le similicuir ciré et Surbiton[1]. Au moment où nous embarquions, un jeune homme apparut au coin de l'immeuble. Godfrey lui lança une œillade appuyée et agita ses fesses éléphantesques d'une façon qui se voulait aguichante. Le jeune homme fit un

1. Une banlieue londonienne. *(N.d.T.)*

63

large cercle pour nous éviter et se retourna pour nous jeter un regard où se mêlaient horreur et incrédulité.

«Ah! dit Godfrey Butterfield M.A., il était intéressé. Ça se voyait.»

CHAPITRE III

Manières de marin

Le bateau de la compagnie maritime nationale fut une surprise. Il était flambant neuf et d'une propreté immaculée. Les passagers formaient une bande très mélangée. On repérait immédiatement les *puttypersons* des deux sexes, les jeunes voyageant dans l'entrepont, les plus âgés en première classe. Il m'avait semblé approprié d'opter pour une solution intermédiaire : une cabine de six couchettes.

Les occupants de l'entrepont étaient installés dans de vastes fosses aux sièges tapissés de vinyle ; ils y dormaient dans l'habituel enchevêtrement cousinesque ou visionnaient des cassettes vidéo. *La Tour infernale* était leur favorite. Ils avaient droit à la même nourriture que tout le monde, mais ils pouvaient la consommer n'importe où sur le bateau, tandis que nous, nous étions confinés dans la chaleur étouffante de salles à manger sentant le renfermé, où les serveurs faisaient la guerre aux clients chaussés de sandales en plastique. Chez nous, c'est la cravate qui marque la frontière entre l'élégance et la décontraction. En Indonésie, ce sont les chaussures.

Comme nous nous attaquions au premier d'une longue série de plats de riz et de poisson, un serveur nous annonça dans un chuchotement :

« Il y a eu une bagarre au couteau. Un Bugi a été tué. Mangez vite. J'ai *cewek* en attente sur le pont. »

Courbés sur nos assiettes par solidarité masculine, nous nous sommes empressés d'engloutir notre nourriture.

Les passagers de l'entrepont formaient une bande émotive et instable. C'étaient presque tous des Javanais à la peau sombre ; ils emportaient leurs vies entières dans des cartons et voguaient vers une existence nouvelle d'immigrants dans les forêts d'Irian Jaya. Pour la plupart, deux enfants ne leur avaient pas paru suffisants. Assis en groupes moroses, ils regardaient disparaître à jamais leur Java natale et tout ce qui leur était familier. Les vieux pleuraient. Les jeunes paraissaient effrayés mais excités, prêts à une nouvelle existence, fredonnant des airs occidentaux et arborant des T-shirts dont ils ne pouvaient comprendre les slogans anglais. Je me suis demandé comment ils réagiraient à l'isolement et à l'ennui de la colonisation agricole. Une jeune fille souriante portait un T-shirt où on lisait : « Je suis superbe quand je suis en colère. Le reste du temps je ressemble à un cochon. » Elle m'a demandé de traduire. J'ai estimé plus sage de laisser de côté la référence au cochon. De tels vêtements étaient très à la mode, ils en convenaient, mais dangereux. Dangereux ? Oui, il y avait eu le cas d'un jeune homme qui avait découvert qu'il portait un T-shirt soutenant Israël[1]. Certains, autour de nous, en eurent le souffle coupé.

Les *puttymen* furent vite adoptés par les Indonésiens, qui leur offraient du thé, s'absorbaient dans l'étude de leurs cartes en fournissant des conseils affreusement inexacts et les questionnaient sans fin sur l'Occident. Les membres de l'équipage se consacraient au ping-pong et faisaient la course en gloussant à travers le bateau, leur gilet de sauvetage sur le dos. Les passagers étaient invités à participer à ces jeux.

Le soir, on organisa un bal. La plupart se donnèrent

1. L'Indonésie est à majorité musulmane. *(N.d.T.)*

beaucoup de mal pour se mettre sur leur trente et un. Dans l'entrepont, on déchira les cartons et on pilla les parures cachées, les ceintures éclatantes et les chaussures rouges. Sur les ponts supérieurs, des administrateurs aux mains parfaitement manucurées cherchèrent dans leurs bagages Gucci des complets légers et des écharpes Dior. Puis tout le monde gagna la salle de bal et s'assit bien droit sur des chaises dures pour écouter un groupe de jeunes gens chanter en pidgin sur de la musique pop. Les gens étaient silencieux et sérieux comme à un récital classique. Les enfants, raides comme des I, récurés, les cheveux luisants, gardaient les bras croisés et étaient sages comme des images. Le chanteur s'approcha du micro et se lança dans la version pleine de hoquets et de sanglots d'une chanson anglaise. Il était clair qu'il ne comprenait pas un mot de ce qu'il disait ; en fait, il avait juste appris quelques sons anglais qu'il mélangeait généreusement avec du charabia.

« *Oh baby ! Aïe smeug plag pigbeum ergueul plak. Oh yeah !* »

Sur le pont, la pleine lune illuminait un paysage marin d'une beauté classique. Dans le lointain nimbé d'une légère brume de chaleur, de vaillants petits bateaux de pêche dansaient et tanguaient doucement dans la solitude d'une mer d'huile qui ressemblait à un plateau laqué de mauvaise qualité. Des poissons volants bondissaient dans l'écume de notre sillage, et leurs nageoires lançaient des éclairs sous la lune.

J'étais appuyé contre le garde-fou, me sentant d'humeur vaguement poétique. C'était une scène digne d'une rencontre sentimentale à la Noel Coward[1], le prélude à une amourette de croisière. Un *puttyman* d'un certain âge sortit de derrière une cloison, fumant un cigare George Burns. Nous échangeâmes un regard, un peu gênés tous

1. Auteur anglais de pièces de boulevard. *(N.d.T.)*

les deux. Du bout humide de son cigare, il indiqua une tache de lumière dans le ciel.

« Uranus, grogna-t-il avec la voix d'un buveur de whisky, ou peut-être Pluton. Je pas sûr. »

Il avait un fort accent italien. Une lueur verte scintillait, bas sur l'horizon.

« Vénus, risquai-je.

— Vénus ? Si, est possible. »

On entendit bientôt le bourdonnement d'un avion. Vénus se mit à clignoter et s'éloigna rapidement vers Java.

« Dans quelle direction allons-nous ?

— Vers le nord… ou peut-être le sud-ouest. J'étais dans armée de l'air italienne, mais j'oublie. »

Une porte s'ouvrit et la voix du chanteur pop balaya le navire.

« *Oh, girl! Hi chiliwzdid tagko dud. Oh yeah!* »

En mer, le monde se réveille tôt. On avait installé une mosquée à l'arrière du navire. Bon nombre de croyants, pratiquants sophistiqués d'une religion planétaire, possédaient des tapis de prière équipés de boussoles. Plus fiables que l'armée de l'air italienne, elles indiquaient que nous filions plein est, comme tous les tapis magiques. Les infidèles dans mon genre se retrouvaient bloqués à la proue du bateau, car tous les passages vers la poupe nous auraient obligés à nous frayer péniblement un chemin entre les fidèles. La terre approchait — le territoire de la véritable ethnographie, par opposition à ce no man's land d'Est et d'Ouest. La première île apparut d'un côté, avec des maisons sur pilotis, serrées à l'écart du rivage. Cela ressemblait au paradis, mais c'était peut-être tout aussi bien l'enfer de vivre là. Des embarcations bugis aux hautes proues venaient vers nous comme des papillons de nuit attirés par une flamme.

Un fouillis de grues et de mâts de charge se découpait sur l'horizon. Des poissons volants réapparurent autour du bateau. Non, pas des poissons volants, autre chose... Des préservatifs usagés, un tribut à la florissante industrie indonésienne du caoutchouc — deux enfants suffisent.

Nous avons traînassé vers le port. Quand nous y sommes entrés, un chien mort dérivait à notre rencontre, niché sur un lit de capotes enchevêtrées.

Retard, confusion. Des soldats s'inclinèrent devant les gradés des cabines de première classe, les époussetèrent et trimballèrent leurs possessions en traitant leurs femmes avec grand respect. L'air sombre, les immigrants se terraient à bord, accroupis derrière des fortifications de cartons. Enfin, des passerelles heurtèrent les bords avec un bruit métallique. Nous étions à Sulawesi.

Sur le bateau, j'avais trouvé un magazine de voyage grand public avec deux articles à teneur ethnographique. Le premier traitait d'une région de l'Afrique où j'avais entrepris jadis une étude de terrain. Il réduisait les autochtones à un simple accessoire de mode, un exemple amusant de certaines formes extrêmes d'ornementation corporelle. Le second concernait Sulawesi et les Torajas. Il relatait les « explorations » d'une journaliste intrépide. Elle « plongeait » en pays toraja, « se frayait un passage » dans la région et « se mesurait » aux montagnes. D'après l'itinéraire qu'elle décrivait, il était évident qu'elle avait limité ses aventures aux routes goudronnées et qu'elle avait probablement voyagé en autocar. Cela me troubla : j'avais tendance à penser comme elle. L'Occidental considère du devoir de l'Orient d'être sauvage et mystérieux. Il est titillé aussi par une certaine violence, à condition qu'elle n'ait pas la brutalité de l'Afrique — disons qu'il préfère une exquise complexité. La journaliste avait satisfait à ces exigences en ajoutant à son article un encadré, totalement hors de propos, sur les crimes de guerre japonais dans la région. Apparemment, les forces d'occupation ne s'étaient pas contentées de brutaliser la population, elles avaient aussi introduit la composition florale. Tout cela paraissait un peu désespéré.

La ville d'Ujungpandang n'avait rien d'un territoire ethnographique. Elle était étouffante, poussiéreuse, à peine plus fraîche que Surabaya. Le meilleur endroit y était certainement le front de mer : les gens venaient s'asseoir sur la digue du port pour contempler le coucher de soleil, tandis que, côté terre, on dressait des stands où l'on vendait de la nourriture. Des enfants se baignaient dans l'eau répugnante du bord de mer ; ils pataugeaient sur environ quatre cents mètres, et puis le fond descendait d'un coup. Dans l'enceinte d'un hôtel onéreux s'alignait une version aseptisée — et dix fois plus chère — des stands de la digue. Des étrangers fixaient d'un air rêveur les gosses qui semblaient bien s'amuser et hurlaient de joie en s'élançant des pilotis de l'hôtel. Leur sport favori consistait à narguer un vigile bedonnant pour l'attirer sur les pilotis, puis à sauter dans l'eau en le laissant là, en équilibre instable, terrifié et incapable de revenir sur ses pas.

« Parfois, dit soudain un homme à côté de moi, il y a des requins. C'est les bateaux, vous voyez. Leurs déchets les attirent. »

Sur ce, il s'installa, dans l'espoir d'un spectacle sanglant, et s'embarqua dans l'immuable litanie de questions auxquelles, désormais, je m'attendais. D'où est-ce que je venais ? Combien de temps allais-je rester ? Les Anglaises, c'était vrai qu'elles étaient frigides même si elles couchaient avec tout le monde ? Je contre-attaquai avec ma propre liste. C'était quoi, son travail ? D'où était-il ?

« Je suis un Bugi, annonça-t-il fièrement. Regarde mon nez. (Il tourna la tête pour me faire profiter de son profil.) Nous, les Bugis, nous avons les mêmes nez longs et fins que les Européens. (Il se redressa.) Ah ! je crois que je vois un requin... Non, c'était juste une ombre. »

Quel dommage. Pas de spectacle pour l'instant.

« Tu veux une noix de coco ? » proposa-t-il soudain.

Avec grand plaisir. Il siffla comme un vrai pro, tout en agitant la main. On entendit un bruit de pas et un petit garçon sortit de l'obscurité en tenant des noix de coco par leur touffe, comme un coupeur de têtes ses trophées. Il les posa bruyamment avec deux cuillères et un couperet puis disparut. Mon compagnon assena aux fruits deux coups d'une judicieuse violence — un peu comme un occupant japonais occupé à autre chose qu'à la composition florale. Le lait était frais et légèrement acide, mais il laissait dans la bouche une sensation poisseuse et un arrière-goût de moisissure. Mon ami au long nez découpa de fines tranches de chair, lisses et glissantes comme du poisson cru.

« Demain, dit-il, va là-bas sur l'île. C'est un bon endroit. »

Il appuya cette affirmation d'un mouvement de son fier appendice nasal. Les noix de coco terminées, je rendis le couperet à son propriétaire. Les fruits étaient payés, mais je jugeai opportun de lui donner cent roupies pour l'utilisation de l'instrument. Son corps tout entier se métamorphosa aussitôt en une machine à exprimer la joie. C'est agréable de pouvoir procurer autant de bonheur à quelqu'un pour sept pence [1].

Les motivations d'un anthropologue, comme celles de tout un chacun, supportent mal un examen approfondi. Le travail de terrain offre à notre savant de nombreuses satisfactions. Entre autres de cesser de faire partie des pauvres et de devenir, toutes proportions gardées, un homme fortuné — du genre capable de dépenser sept pence dans un geste de pur altruisme. On éprouve un grand plaisir à faire naître un sourire sur le visage d'autrui, et c'est une joie d'autant plus grande qu'on peut se

---

1. Environ 25 centimes. *(N.d.T.)*

71

l'offrir à très bas prix — et que l'argent vous a été fourni par quelqu'un d'autre. Toutes les vertus protestantes se voient ainsi satisfaites d'un seul coup. Les anthropologues de gauche adorent tout particulièrement se comporter comme la noblesse locale et dispenser des bienfaits. Cela leur donne aussitôt l'impression — fausse, bien sûr — d'être soudain plus proches du peuple.

« Maintenant, annonça mon ami, on va aller chez moi, où on se réunit pour pratiquer ta langue. Tu nous feras une conférence sur tes premières impressions d'Indonésie. Essaie de ne pas dépasser une heure.

— Une heure ?

— Oui. On a fondé un groupe appelé l'English Club. On se retrouve pendant une heure presque tous les jours. Tu pourras rencontrer mes amis. »

J'ai en effet rencontré ses amis, et ses cousins, et sa mère. Et une classe entière de petits garçons aux chapeaux musulmans, qui furent arrachés à l'étude du Coran pour parler anglais avec moi. J'ai répondu à des questions sur la famille royale, sur les feux de circulation et sur la manière correcte de manger des asperges. J'ai fait aussi une rapide analyse de notre industrie de construction navale. À la fin de la soirée, je me suis enfui jusqu'à mon hôtel.

« Tu reviendras demain ?

— Je verrai. Il se peut que je parte pour Toraja. »

J'avais prévu de passer la journée à prendre des contacts et à me préparer à mon « plongeon ». Malheureusement, c'était une fête nationale, le quarantième anniversaire de la déclaration d'indépendance de l'Indonésie. Presque tout était fermé. Les rues étaient pleines d'enfants tirés à quatre épingles, conduits en rang par deux et au pas militaire à des célébrations patriotiques. Ils levaient leurs petits poings en l'air avec une sévère ferveur nationaliste, criaient *Merdeka!* — « Liberté ! » — puis, pris d'un fou rire incontrôlable, ils étaient tancés par leur institutrice qui, elle-même, ne pouvait s'empêcher de sourire. Tels des lanceurs de javelot désorientés, des hommes erraient en ville avec des perches d'aluminium et installaient des drapeaux sans grand enthousiasme. Le clou de la fête était un carnaval cycliste dominé par une bicyclette transformée en torche de la liberté avec du papier aluminium. Hélas! un fort vent latéral soufflait de la mer, et la bicyclette tangua tout au long de la route avant d'entrer en collision avec un poisson rouge géant porté par huit petites filles qui faisaient la promotion de cette source de protéines. Un fonctionnaire du ministère de l'Agriculture défilait sur un camion et aspergeait d'eau les passants, tandis que des écoliers déguisés en épis de riz dansaient pour exhiber leur vigoureuse croissance grâce aux insecticides. Une moto patiemment convertie en gros escargot jouait les trouble-fête. Le message était loin d'être clair; le gastéropode surgissait à toute vitesse des endroits les plus inattendus, faisait des embardées au milieu des autres chars et se renversait. Tout ceci était terriblement bon enfant et démontrait l'enviable capacité indonésienne à s'amuser des choses les plus improbables.

Pour échapper à la chaleur et à la poussière, je me dis que je pouvais aussi bien me rendre en bateau sur une île que mon nouvel ami m'avait recommandée. L'idée de rencontrer de nouveau l'English Club me terrifiait. Le pire, ç'avait été quand la réceptionniste de l'hôtel m'avait révélé sa qualité de membre. Mes mouvements allaient être étroitement surveillés. J'attrapai un *trishaw* pour descendre au port. Le chauffeur était prolixe.

«Toraja? dit-il. Je n'irais pas là-bas si j'étais vous. Ils mangent de la chair humaine.

— Comment le savez-vous?

— *Tout le monde* le sait. »

Le fait que tout le monde déteste le peuple «d'à côté» tient presque de la donnée universelle en anthropologie. C'est étrange, dans la mesure où cette discipline a toujours eu tendance à présumer que l'interaction sociale développe la solidarité *à l'intérieur* d'un peuple. Le *trishaw* était équipé d'un carillon électronique qui jouait *We wish you a merry Christmas*. Nous avons traîné autour de la grand-place sur les tintements de *« donne-nous du pudding aux figues »* et atteint le quai sur *« et une bonne année »*.

Les billets étaient en vente au bout de la jetée, et les prix avaient doublé, pour bien marquer la nature festive de cette journée. Nous sommes partis dans un petit bateau dont le moteur produisait, au lieu des bruits habituels, une série d'explosions discrètes qui faisaient penser à un incontinent sénile. Un enfant qui me considérait avec fascination serra mes genoux dans un soudain élan d'affection poisseuse.

« Grand ! » dit-il.

Cela fit rire maman et papa. Depuis l'autre côté du bras de mer nous parvint soudain un sourd mugissement, comme un écho de notre moteur. C'était une sonorité étrangement familière qu'il m'était pourtant difficile d'identifier. Notre embarcation vira par le travers pour accoster une jetée et, comme son moteur mourait, le bruit se précisa.

« Oh baby ! Erg feuddle tin fat sweug. Oh yeah ! »

Seigneur, c'était le groupe pop du bateau !

Sur notre navire, ils étaient gênés et à l'étroit. Ici, ils pouvaient prendre leurs aises et donner le meilleur d'eux-mêmes. Un système de haut-parleurs crachotants diffusait leur hymne à la joie sur toute l'étendue de l'île — non que celle-ci, d'ailleurs, s'étendît très loin. C'était un petit banc de sable bossu où étaient dispersées des baraques temporaires vendant des lunettes de soleil, des boissons gazeuses et des jouets gonflables. Un groupe d'enfants chinois pêchait des préservatifs usagés et les alignait sur la plage au bord de l'eau graisseuse. Un gamin sortit soudain de l'eau couvert de sang après l'attaque d'un requin. Mais non, pas une attaque de requin : c'était juste un parent à l'amour dévorant qui avait barbouillé ses écorchures de mercurochrome. Un panneau sur la plage indiquait : «Attention, beaucoup de ferrailles». Je fis un tour rapide de l'île, tandis que le groupe pop me saluait amicalement de la main et jouait encore plus fort en mon honneur, et puis je revins à l'embarcadère attendre le prochain bateau. Un homme, pieds nus, pêchait des crevettes, qu'il démêlait patiemment d'une prolifération d'algues fétides. Nous avons échangé les questions habituelles.

«Vous devriez rencontrer ma sœur», dit-il.

En Afrique, j'aurais su exactement ce qu'il voulait dire, mais j'avais affaire ici à un peuple fier, réputé pour son zèle islamique. Cet homme était peut-être un membre de l'English Club.

«Pourquoi? ai-je demandé nerveusement, m'attendant à ce regard que les gens accordent au dément ou à l'étranger.

— C'est une madame-torchon-à-vaisselle.

— Vous voulez dire qu'elle vend des torchons? Du batik?»

Il éclata de rire.

«Non, non. C'est une fanatique, elle est très religieuse. Elle porte maintenant un torchon sur la tête[1] et refuse d'aller à l'université. Elle mourra célibataire. Mais vous la trouveriez intéressante. Elle parle bien l'anglais.

— Vous êtes d'Ujungpandang? (Derrière lui, un bateau de pêche bugi passa dans un ronronnement de moteur, avec sa proue recourbée qui dominait le reste de l'embarcation.) Attendez, dis-je, vous êtes un Bugi! Je le vois à votre nez long et fin.»

L'anthropologie vous apprend ce genre d'associations. On appelle ça «interprétation». Il fut ravi.

1. Le *silpah* indonésien, équivalent du tchador. *(N.d.T.)*

75

«Tout à fait exact.»

Je me suis demandé soudain si les Bugis faisaient référence aux proues de leurs bateaux comme à des nez, ou vice versa. Je me souvenais d'un article sur le symbolisme des navires bugis. Il faudrait que j'y jette un œil. Mais mon nouvel ami avait d'autres informations.

«Les gens d'ici pensent qu'un gros nez signifie que vous avez un gros membre. C'est pour ça que les femmes aiment les gros nez.»

Il rougit et cacha son appendice nasal avec sa main — un geste d'embarras que je connaissais.

Un bateau au museau autrement plus mutin est arrivé et nous nous sommes séparés. J'ai embarqué avec un groupe de jeunes papas très fiers de leur progéniture. Pères et enfants s'étreignaient avec ravissement. Les adultes explosaient de joie juste à contempler leurs rejetons.

Il y avait deux Australiens sur le quai, les cheveux décolorés et la peau brûlée par leur séjour à Bali; ils avaient les genoux velus et les pieds nus. Bien qu'il fût encore tôt, ils étaient très saouls, comme pour illustrer les pires stéréotypes culturels, et ils agitaient même des bouteilles pour jouer parfaitement leur rôle. Les papas indonésiens serrèrent leurs enfants plus fort et sifflèrent des avertissements aux Australiens, en pure perte car nos deux touristes discutaient de leurs boyaux avec la délectation de mamans buveuses de thé en train de parler des leurs.

«Une sacrée merde, mec! rugit l'un d'eux. Le genre qui reste plantée là et te fixe dans les yeux. La première que je lâche depuis des foutues semaines.»

Ils se mirent à discuter de ce qui était le plus grand plaisir, la défécation ou la copulation. Manifestement, ils voyageaient à l'étranger depuis longtemps et ils s'étaient habitués à l'audace que procure le fait de n'être compris par personne. J'ai baissé la tête, tentant de franchir inaperçu le brouillard de leur fascination scatologique. Mais il ne devait pas en être ainsi.

Le pilote du bateau tendit le doigt vers eux, puis vers moi, et cria à gorge déployée :

«Regarde, ami!»

C'étaient sans doute les seuls mots d'anglais qu'il connaissait, mais ils suffirent à me faire repérer. Il hocha la tête et me sourit, persuadé de m'avoir rendu service. Les Australiens étaient aux anges eux aussi, titubant au milieu des jeunes papas qui s'empressèrent d'éloigner leurs enfants, l'œil mauvais. Les deux touristes reconnurent immédiatement en moi un gars dans leur genre, désireux de tuer le temps dans une chaude camaraderie d'écluseurs de bière, en examinant ce qui *n'allait pas* chez les Indonésiens et en faisant sans se gêner des commentaires sur les gens autour d'eux. Il me fallut près d'une heure pour leur échapper. Quand je les quittai, ils secouèrent la tête, dégoûtés par mon manque de chaleur de taré-d'Angliche-collet-monté. Des petits garçons hurlèrent de joie quand ils les virent balancer leurs bouteilles vides dans le port.

Les touristes sont la face hideuse de chaque peuple. Est-ce que ce sont les pires individus qui font du tourisme ou le statut de touriste fait-il ressortir le pire de l'être humain? On ne peut s'empêcher de se demander si on est pareil, ou si, du moins, les gens du cru nous perçoivent comme tels. Le tourisme transforme les autres en accessoires de théâtre que l'on peut photographier et collectionner. Et je ne suis pas sûr que l'ethnographie n'en fasse pas autant dans une certaine mesure. J'ai connu des anthropologues qui n'avaient guère plus de considération pour «leur» population que pour des animaux de laboratoire, des objets importants pour leurs propres objectifs arrogants, qu'ils pouvaient éliminer ou remettre dans leurs cages quand ils se révélaient ennuyeux ou trop gênants. Pourtant, d'une façon ou d'une autre, je sentais que les Indonésiens et moi avions un autre rapport. Des gens s'étaient montrés sincèrement gentils et serviables, ils s'étaient donné du mal quand rien ne les y obligeait, et ils m'avaient même permis de *me* conduire un petit peu mieux que ce que j'aurais cru. C'était là une pensée sympathique au moment de s'embarquer pour le territoire de la *véritable* ethnographie. D'une certaine manière, l'ambiance d'Ujungpandang était encore trop moderne pour moi.

CHAPITRE IV

La frontière ethnographique

« Touriis ! »

L'enfant retira son doigt de la narine qu'il fouillait avec application et le pointa vers moi. Puis, profitant de la main qu'il venait de tendre, il l'ouvrit et dit :

« Je veux des bonbons. Donne-moi de l'argent. »

C'était la première fois que j'entendais cette association d'idées indissolubles — touriste-bonbons-argent — criée aux *puttypersons* par presque tous les enfants de Tana Toraja. Et cependant, je n'avais pas encore atteint le pays toraja proprement dit. Je me trouvais sur la côte, dans la ville de Parepare, prêt à « plonger ». Il a fallu quatre cents ans aux premiers Européens pour aller de la côte aux montagnes. L'autocar ne met désormais que quelques heures, mais cela paraît toujours un long voyage.

Mon guide mensonger vantait les charmes de cette cité, mais c'est un édifice où était indiqué « Musée » qui me fit descendre du car. C'était la ville minable habituelle, construite le long d'une route poussiéreuse, où des commerçants chinois vendaient des marchandises japonaises à des prix exagérés. Le quartier administratif, où des fonctionnaires défendaient l'intégrité de la république, se trouvait un peu à l'écart. D'un côté, il y avait un petit port où on chargeait du riz dans des bateaux japonais. C'est dans des endroits de ce genre que l'on prend

conscience du nombre impressionnant d'enfants indonésiens. L'investissement en écoles est vertigineux, comme
si une maison sur trois était un bâtiment scolaire d'un
genre ou d'un autre. Il y a trois roulements, chaque jour,
dans certains de ces établissements, si bien qu'une triple
marée d'enfants en uniformes immaculés semble balayer
sans interruption les rues principales

« Hello, miss ! » me criaient-ils gaiement.

J'étais cantonné dans une petite auberge construite au-
dessus de l'eau, où de minuscules boxes en carton faisaient office de chambres. Outre que tout le monde
entendait ce qui se passait dans les autres « chambres », sa
construction légère permettait de suivre les tonitruantes
parties de cartes qui, de nuit, faisaient rage dans le hall.
Mais il aurait été déraisonnable de se plaindre, puisqu'on
était toujours invité le plus amicalement du monde à y
participer.

La meilleure distraction de la ville semblait être le club
de tennis voisin, où des bureaucrates jouaient avec une
féroce détermination et un indéniable talent devant une
foule de galopins et de juges qui, tous, triomphaient ou
s'indignaient par procuration avec force hurlements. De
l'aube au crépuscule, les joueurs, narines frémissantes, se
faisaient la guerre au-dessus du filet en grognant et en s'es-
claffant.

Le seul autre événement fut l'arrivée à l'hôtel d'un gros
touriste allemand dont la barbe en forme de bêche intimida la direction. Chaque fois qu'il s'asseyait sur une
chaise ou sur un lit, l'objet s'écroulait sous lui.
Curieusement, le propriétaire trouvait cela très drôle.

« Regardez, disait-il, tenant les deux moitiés d'une
chaise, il a recommencé ! »

La salle de bains était une autre curiosité du lieu.
Comme c'est généralement le cas en Asie du Sud-Est, la
réserve d'eau était une cuve en ciment où l'on puisait
pour s'asperger le corps avec enthousiasme. Elle était

commune avec la salle de bains voisine; la cloison de séparation tombait comme un rideau dans l'eau. Mais c'était aussi la demeure d'une grosse carpe noire au comportement flegmatique. Quand elle constatait que quelqu'un occupait un côté, elle se réfugiait dans l'autre d'un air hautain. Si les deux côtés étaient pris, elle se livrait à des oscillations craintives. L'Allemand hirsute refusa obstinément, par égard pour l'animal, d'utiliser la salle de bains, sauf quand les deux côtés étaient libres, ce qui stupéfia notre propriétaire. Il s'imagina que les Européens avaient une sainte horreur des poissons comme les musulmans des porcs.

Visiter le musée fut plus difficile que prévu. J'embarquai dans un *trishaw* avec un conducteur d'une grande antiquité. Une telle situation est toujours un peu délicate et ambiguë. Les gens vous dévisagent. Mais se disent-ils : «Tiens! Voilà un *puttyman* paresseux transporté par un pauvre vieux qui pourrait être son père» ou : «Vous avez vu ça! C'est super qu'il ait engagé ce vieil homme au lieu d'un jeune qui serait allé plus vite»?

Mon conducteur de *trishaw* parlait comme quelqu'un sur le point de se retirer des affaires. Le gouvernement n'allait pas tarder à interdire les *trishaws* en ville pour les remplacer par des taxis. Mais pourquoi? demandai-je. Qui connaissait la raison des décisions du gouvernement? Il lui faudrait vivre à la charge de son fils, qui avait déjà assez peu de terre comme ça. Il avait économisé pendant des années pour posséder son propre *trishaw*, au lieu de partager ses recettes avec un propriétaire. Maintenant, comment pourrait-il le vendre? Il allait être obligé de le démonter et de céder ses roues une par une. C'était une image terriblement déprimante que celle de ce vieil homme se séparant tout d'abord de ses roues, puis de sa selle, puis de sa sonnette, avec un profit toujours décroissant.

Il roulait lentement vers le sud, sur la route goudronnée, et les efforts de ses jambes sur les pédales faisaient tanguer la carcasse de la machine. Le trafic motorisé nous dépassait en vrombissant, avec des coups de klaxon indignés. Ses confrères pédaleurs jouaient de leurs sonnettes pour exprimer leur solidarité dans l'effort. Des deux côtés de la route, les magasins en béton cédèrent bientôt la place à de belles maisons en bois sur pilotis, ombragées par des palmiers, simples et spacieuses, le tout d'un dépouillement austère, quelque peu masculin, comme par dédain des fanfreluches. Cachés jusqu'à la poitrine par des clôtures en dur ou en osier, des gens s'aspergeaient d'eau ou, accoudés à leurs balcons, contemplaient le monde à travers une brume de fumée de cigarettes.

Le musée était fermé, et désert à l'exception d'un garçon complètement idiot. Une règle immuable de la nature, semble-t-il, veut que ce soit toujours un jeune imbécile qui assure la permanence dans les musées, de même que toutes les secrétaires des départements d'université sont des démentes. Le conducteur de *trishaw* fut indigné pour moi, exigea de savoir où se trouvait le conservateur, négocia un nouveau contrat pour m'y conduire et démarra en pestant contre le monde entier.

Nous sommes arrivés à un édifice bariolé de drapeaux de la république, nous avons été présentés à un groupe extrêmement poli de gentlemen et invités à remplir l'inévitable livre d'or. Alors seulement on m'assura que l'homme qui avait la clé était retourné au musée, où on pouvait désormais le trouver. Après des adieux amicaux et compliqués, nous avons regagné notre *trishaw*. En m'y réinstallant, je sentis soudain un courant d'air me glacer les fesses. J'avais déchiré mon pantalon de la poupe à la proue sur le dais du *trishaw,* et désormais j'exposais mon fondement au monde.

Visiter un musée en gardant le derrière tourné vers le

mur est un exercice digne de l'éducation d'un futur prince de Galles. Extrêmement difficile.

Le musée était consacré à la maison royale de la ville et révélait qu'elle avait été suffisamment riche pour s'offrir les pires marchandises de l'Orient et de l'Occident. Des assiettes chinoises bon marché se mêlaient aux vases hollandais et à des sculptures vraiment affreuses de Bornéo. Le conservateur et sa femme vivaient au milieu de la collection. C'était un homme très aimable à la voix douce. Son épouse ressemblait de manière frappante à Bette Davis dans ses derniers rôles de souillon chaussée de mules, la voix rendue râpeuse par le whisky.

Le conservateur avait un faible pour les histoires merveilleuses. Il me parla d'un canon qui avait fait feu, sans avoir été amorcé, pour annoncer la mort d'un membre de la famille royale. Il avait cherché à le transporter jusqu'au musée, mais le canon retournait toujours tout seul au sommet de la colline. Il avait entendu des pierres hurler et aperçu des fantômes en vêtements anciens. Malgré leur aspect banal, les couteaux dans ce placard, là-bas, étaient magiques. Une fois tirés de leurs fourreaux, ils ne pouvaient y être remis avant d'avoir versé le sang. Bette acquiesçait en hochant la tête en silence ou intervenait pour corriger son récit. On sollicita une contribution — qui fut accordée. Bette fumait cigarette sur cigarette, avec les gestes d'une cynique lasse du monde, et traînait les pieds dans ses mules défraîchies. Comme il convient lorsque l'on prend congé de la royauté dans un pantalon déchiré, j'inclinai la tête et sortis à reculons.

De l'autre côté de la route, un panneau indiquait « Vers la plage ». Un sentier caillouteux courait au milieu des palmiers et se faufilait entre des maisons de bois sur pilotis, aux balcons colorés par des sarongs qui séchaient. Là s'étendait enfin la plage de mes rêves d'île tropicale. Comme il se devait, elle était bordée de cocotiers, et des bateaux de pêche en bois mouillaient à quelque distance.

La mer était calme et bleue. Oubliée par les vagues, elle se contentait de caresser le sable. Un enfant apparut :

« Donne-moi de l'argent », me demanda-t-il en bâillant.

Je le gratifiai d'un petit sermon sur la honte, qu'il écouta froidement. Un homme était accroupi au bord de l'eau, se livrant sans doute à quelque espièglerie de vieux marin. Je m'approchai, des salutations aux lèvres. Prenant soudain conscience d'une présence étrangère, il pivota avec une expression horrifiée. Je le vis, au sens propre, se rhabiller[1], et s'éloigner à toute vitesse en pataugeant dans l'eau tiède. Ce qui l'avait occupé n'était que trop évident. Je savais maintenant où se trouvaient les toilettes.

Je m'enfuis dans la direction opposée et remarquai un autre homme qui jouait à cache-cache entre les arbres. Peu désireux de commettre deux fois la même erreur, je détournai gravement le regard. C'est lui qui s'approcha sans bruit.

« Bonjour ! brailla-t-il.

— Bonjour.

— Deux cents roupies, s'il vous plaît.

— Et pourquoi donc ?

— Taxe touristique. »

Il fit jaillir une casquette à visière de derrière son dos et me tendit un reçu, en souriant timidement comme un soupirant qui offre des fleurs à sa fiancée.

« Ne vous baignez pas là-bas, il y a des oursins. »

Comme je ne comprenais pas ce mot, il se lança dans l'imitation élaborée de quelqu'un qui a été piqué au pied.

« L'eau est bonne, ici ?

— Très bonne. Elle est chaude à cause de ça. »

Il indiqua une digue en pierre. Des enfants nageaient

---

1. *To girt one's loins,* au sens figuré, c'est aussi se préparer à l'action, une « action » évidente ici. *(N.d.T.)*

tout autour, comme des tortues, dans de grosses chambres à air noires, tout en échangeant des insultes ethniques.

«Les Chinois n'ont pas de nez!

— Les Bugis ont des gueules de chèvres!»

Je n'entendis aucune remarque sur les *puttymen*. Je me mis à patauger, à titre d'expérience, après avoir relevé mes jambes de pantalon. J'aurais dû mettre un mouchoir noué aux quatre coins sur ma tête mais l'image ne leur aurait rien évoqué. L'eau était d'une délicieuse chaleur, comme un bain de pieds réparateur. Quand je me retournai vers le rivage, je compris pourquoi. La digue abritait un gros tuyau métallique. C'était l'égout de la ville et je barbotais dans ses tièdes effluents.

Mais même en des lieux apparemment aussi peu propices, certains signes indiquaient que l'Indonésie serait un champ fertile pour la recherche ethnographique.

Je me rendis dans une petite échoppe qui proposait de la soupe de crabes.

«Pas de soupe de crabes. Pas de crabes, dit le serveur.

— Et pourquoi donc?» demandai-je.

La plage grouillait de pêcheurs, de bateaux, de coquilles de mollusques.

«Aucune idée. Nous disons toujours que c'est à cause de la pleine lune. Je ne sais pas pourquoi. Si vous voulez interroger le pêcheur, il est dans la cuisine.»

Exact. Il était là, en effet, assis devant un café. C'était un petit homme parcheminé, brûlé par le soleil, dont la peau formait des plis lâches à toutes les articulations, comme s'il l'avait empruntée à quelqu'un de considérablement plus grand que lui. Je lui posai des questions sur les crabes et la pleine lune.

«Parfaitement, dit-il. Il n'y a pas de crabes à la pleine lune. Ils ont tous leurs règles.

— Quelle sottise! s'exclama un cuisinier en riant. Tous les crabes sont des mâles, ils n'ont pas de règles!

— C'est à cause de la lumière, intervint l'un des serveurs. Les crabes n'aiment pas la lumière. Ils vont se cacher en eau profonde et on ne peut plus les attraper.

— Ç'est pas ça! intervint un autre cuisinier en s'asseyant avec nous. Voilà, avec la lune la mer monte et il y a des vagues. Les crabes détestent l'eau agitée et donc ils se réfugient sous les rochers.»

À présent, le restaurant tout entier s'était arrêté. Ça changeait agréablement de mon dernier peuple en Afrique, qui était très conservateur et se refusait aux conjectures sur la sagesse ancestrale.

Le pêcheur secoua la tête, perplexe.

«Wouah! dit-il. Ce que c'est que d'être éduqué, d'avoir lu des livres! Vous voyez, je ne suis qu'un simple pêcheur. On ne connaît rien à tout ça. On ne peut même pas aller pêcher quand c'est la pleine lune, parce que toutes nos femmes ont leurs règles.»

J'étais revenu au point de départ, semblait-il.

De retour à l'hôtel, tous ces retards m'ont soudain énervé, et j'ai décidé de partir immédiatement pour les montagnes où je trouverais les Torajas. Leur nom, apparemment, signifie «homme des collines», guère plus, et il est d'origine bugi. Il est donc à peu près certain qu'il s'agit d'une insulte ethnique et que la confusion actuelle entre qui est et qui n'est pas toraja vient sans doute de ce qu'à l'origine ils ne se donnaient pas ce nom-là. Je commencerais par la ville de Mamasa.

Je suis allé à la gare routière.

«Mamasa?

— Polmas.

— Euh… oui, mais Mamasa?

— Polmas… Vous montez dans le car.»

J'ai cherché en vain Polmas sur ma carte.

«Où se trouve Polmas? (Une question évidente posée d'une voix pleurnicharde. Pas de réponse.) Est-ce que Polmas est près de Mamasa?»

Mon interlocuteur haussa les épaules.

«Oui, près.

— Près comment? Puis-je aller de Polmas à Mamasa en une journée?

— Oh oui. Vous montez dans le car.

— Certain?

— Oui. Vous montez dans le car maintenant.»

Je n'en croyais pas un mot, mais que faire? C'étaient des gens amicaux. J'avais de l'argent local et je ne mourrais donc pas de faim. Ignorant l'invitation à prendre le siège de devant (plus cher, plus de chance d'être malade), j'ai grimpé à l'arrière, où c'était ouvert. On est partis.

En réalité, on n'est partis qu'à moitié. Plus exactement, on a parcouru la ville à la recherche d'autres gens qui auraient eu envie d'aller à Polmas — où que se trouvât cet endroit. On a descendu et remonté langoureusement la rue principale, dans l'intention de convaincre ceux qu'un doute tenaillait peut-être encore. On a klaxonné une *cewek* et on s'est penchés à l'extérieur en souriant. On accostait quiconque portait un lourd fardeau, et on lui montrait tout notre espace disponible en écartant les bras.

«Regarde, il y a encore de la place. Monte! Viens avec nous à Polmas!»

Je dis «on» car il n'y avait aucune distinction entre le chauffeur et ses passagers. Il était acquis que nous étions maintenant tous engagés dans une entreprise commune, que nos destins étaient inextricablement liés. Certains d'entre nous descendaient avec agilité pour aider les nouveaux arrivants à embarquer leurs bagages. On leur faisait de la place. On échangeait des cigarettes. Soudain, on était tous frères. On a chargé des sacs de riz, des foules d'enfants se sont tout d'un coup matérialisées et ont été emballées comme de la porcelaine. On est partis vers les montagnes de très bonne humeur — et puis on est retournés à la gare routière pour prendre d'autres clients. Ensuite, on a sillonné la ville en quête du frère de quelqu'un, on l'a embarqué et on est allés jusque chez lui chercher d'autres bagages. Finalement, alors qu'il semblait que tout espoir de se mettre en route ce jour-là était perdu, on a tourné le dos à la côte et on s'est éloignés dans un bruit de ferraille vers les montagnes qui s'assombrissaient.

Quelque part sur ce chemin, il y a une frontière invisible. C'est d'abord évident au niveau de la chaussée. Le macadam s'effiloche. Il cède la place à la terre, puis la terre à du rocher nu, sur lequel le car cahote et tangue. Par endroits, il y a d'énormes machines jaunes, aux radiateurs couverts de caractères japonais, occupées à pulvériser les pierres et à les vomir sur la route. Mais c'est bientôt la nature sauvage, où la route n'est plus une voie de communication mais une barrière à celle-ci. Deux choses ont répandu le ketchup de la culture occidentale sur la planète. L'une est la communication, et l'autre sa métaphore la plus puissante : l'argent. Mais ici, nous nous retrouvions soudain dans un autre monde, un monde tourné vers l'intérieur, où le confort matériel n'était pas garanti, mais où s'offrait à nous l'excitante possibilité d'une perception étrangère de la réalité. Pour un fanatique de la quête ethnographique, rien ne pouvait être plus excitant. J'ai questionné mon voisin — l'épreuve de vérité sur notre situation.

« On arrive à quelle heure ? »

Il haussa les épaules.

« Comment savoir ? »

J'avais raison. Nous avions franchi la frontière. Il se cala dans son siège d'angle, me prit dans ses bras sans chercher à faire plus ample connaissance et s'installa pour dormir, en respirant avec contentement contre mon cou. C'était un autre monde. Je l'enlaçai à mon tour, et m'endormis bientôt moi aussi.

«Touriis!»

Il faisait nuit. J'avais conscience d'un froid piquant.

«Touriis!»

Une femme criait. Le moteur était coupé et les passagers s'extrayaient du car, comme abrutis par une terrible gueule de bois. J'ai pensé que ça valait la peine d'adresser une grimace à la femme en question.

Elle me retourna mon sourire, en tapotant un petit garçon qui venait de courir jusqu'à elle et souriait, lui aussi.

«Son fils s'appelle Turis, m'expliqua un passager en bâillant. Un étranger passait au village quand elle l'a mis au monde, et le mot lui a plu.»

Turis m'observa, mais ne me demanda ni bonbons ni argent. C'était une scène médiévale. Une caravane de chevaux de bât était venue à la rencontre du car, et des hommes enveloppés dans des houppelandes déchargeaient des caisses à la lueur des torches. Ils dégainèrent des épées pour trancher les cordes.

«Venez boire un café, proposa la femme. Je dois allumer les lampes. L'électricité est coupée à dix heures.»

Nous nous sommes étirés et nous avons bâillé, nous avons fait semblant de frissonner d'un air comique, et nous nous sommes réfugiés d'un pas lourd dans une maison de béton nue qui dressait sa silhouette dépouillée au sommet de la montagne, baignée par la lueur limpide des étoiles. Le chauffeur était déjà à l'intérieur et actionnait la pompe d'une lampe à pétrole. Quelques voyageurs se sont arrêtés pour uriner contre le mur. Au moment où nous franchissions la porte, l'électricité s'est éteinte et les angles de la pièce ont dessiné autour de nous une pénombre douillette. Dans la cuisine, une sorte de théâtre d'ombres produisit du café brûlant.

«Pas de sucre, merci.

— Pas de sucre?»

La cuisine tout entière s'est rassemblée pour contempler cette merveille.

«Vous prenez le café sans sucre?»

Les Indonésiens étaient en train d'en verser cinq à six cuillerées dans leur tasse. Ils m'ont regardé boire comme s'ils soupçonnaient un ultime tour de passe-passe.

«Les Hollandais sont vraiment étranges.

— Je ne suis pas hollandais. Je suis anglais.

— Les *puttymen* ne sont pas tous pareils? On les appelle tous «Hollandais».

— Est-ce que les Bugis et les Torajas sont pareils?»

Ils ont très bien compris ce que je voulais dire. J'ai soudain réalisé qu'il faisait nuit noire et que je ne savais toujours pas où j'allais. Le chauffeur avait une carte.

«Quel est le nom de cet endroit?

— Il n'a pas de nom, c'est juste une maison.

— Où est-ce?

— Polmas.

— Où allez-vous, ensuite?

— Plus loin. Polmas.

— Mais...»

Ça a fait tilt dans ma tête. Ils avaient pris les noms des deux extrémités de la route, Polewasi et Mamasa, ils les avaient combinés et ils s'en servaient pour toute la région. *J'étais* à Pol-mas et *j'allais* à Pol-mas.

Nous étions donc à Polmas, et nous mangions les petits gâteaux apportés par la mère de Turis. Une fois de plus, les questions habituelles. Mon pauvre indonésien fut encouragé et exhibé comme un enfant gâté devant des visiteurs. Plusieurs passagers étaient instituteurs. Dans le tiers-monde, ces gens-là passent leur temps à voyager. Ils pouvaient traduire l'indonésien en toraja, une langue bien distincte, et ils connaissaient aussi un peu de hollandais — ce qui ne nous fut d'aucune utilité. J'ai pensé à des enfants que j'avais connus jadis au Cameroun. Ils avaient appris le norvégien dans l'espoir que cela leur ouvrirait un nouvel univers de communication.

Au moins, je n'ai pas été obligé d'expliquer mon

métier, car il y avait, semblait-il, d'autres anthropologues dans les environs.

« Là-haut, dans le Nord, il y a la Française. Avant, elle était très belle, mais elle doit être vieille, maintenant. Dans l'Ouest, c'est l'Américain. Il connaît très bien notre langue. Puis il y a l'Américaine, mais je crois qu'elle ne parle que l'anglais, bien qu'elle soit proche de Dieu. Puis il y a les Hollandais. Ils ont des enfants.

— Leurs propres enfants ?

— Non. Des enfants torajas. Nos enfants sont très beaux. C'est pourquoi nous les échangeons. J'ai été adopté quand j'étais petit. Peut-être que vous resterez ici, que vous épouserez une Toraja et adopterez des enfants. J'en ai sept, vous pouvez avoir quelques-uns des miens.

— Je les prendrai tous les sept. Vous en ferez d'autres. »

Tout le monde a ri. J'ai regardé les oreilles de Turis. Elles n'étaient absolument pas pointues. On m'avait trompé.

Nous sommes repartis, en grondant et en tanguant. Le chauffeur avait profité de l'arrêt pour réparer le lecteur de cassettes. L'appareil hurlait sans fin les mêmes six chansons. À l'extérieur, des fougères géantes agitaient leurs frondes dans notre direction.

Nous avons atteint Mamasa bien après minuit et nous nous sommes garés devant le seul hôtel, une baraque en bois dont les portes étaient solidement barricadées. Je me suis retrouvé dehors, désemparé. Ils ont eu pitié de moi.

« Il y a quelqu'un ? » cria le chauffeur en cognant au battant éclairé par la lune.

Une réaction en chaîne d'aboiements se propagea à travers les montagnes. Il frappa de nouveau. Une minuscule lueur chancelante apparut dans un coin de la maison et s'approcha en tremblant. Le chauffeur me serra la main avec enthousiasme.

« Quelqu'un vient. Ça va aller. Dormez bien. »

Puis il écrasa l'accélérateur et démarra dans un crissement de pneus. J'étais seul, désormais, pour assumer la responsabilité de toutes ces perturbations. On tira un grand nombre de verrous et un visage ensommeillé me fixa.

«Je suis vraiment désolé... commençai-je.

— Demain», me répondit-il.

Parler représentait un trop gros effort. J'aperçus des rangs de bouteilles et de tabourets taillés dans des troncs d'arbre, et on me fit grimper à une échelle très raide jusqu'à une petite chambre en pin. Mon hôte me laissa le temps d'allumer la bougie, puis il se retira en silence. Les chiens se disputaient toujours pour savoir qui aurait le dernier aboiement.

CHAPITRE V

Commerce de chevaux

Pour mon guide de voyage, Mamasa a un air « tyrolien ». Elle est entourée de montagnes, en effet, mais pas le genre de reliefs alpins propices aux activités sportives de l'Autriche. Ce sont des pentes boisées et menaçantes, barrées d'érythèmes de terre nue. Cet adjectif, pourtant, est justifié par la présence de deux églises blanches à clocher pointu qui s'élèvent à l'entrée de la vallée, où les maisons s'alignent le long d'un ruisseau gazouillant. C'est propre, rural, tranquille.

Mais le guide omettait un détail. Cette vallée montagneuse isolée abritait une association de chorales religieuses de jeunes.

Le christianisme a de multiples visages. Il peut être d'un cérémonieux sentant le renfermé, d'une émotivité embarrassante, d'un ascétisme glacial. Chaque culture prend ce qui lui plaît dans la religion qu'on lui propose. Parmi toutes les religions périmées exportées par l'Occident, le christianisme a toujours impressionné les Torajas pour une raison très particulière : la possibilité de fonder des chorales. Leur religion traditionnelle fait un grand usage du chant et possède un vaste répertoire de chansons pour toutes les occasions. L'introduction du chant liturgique et de la guitare a permis l'épanouissement de ce fonds ancien. Le soir, les villes torajas reten-

93

tissent du grattement des cordes et du rythme des hymnes. Le dimanche, elles tremblent sous la puissance des voix.

Le réveil, le matin, est toujours un moment où la tolérance est soumise à rude épreuve. Nous sommes tous xénophobes à cette heure-là. C'est alors que les préjugés prennent toute leur force et que les sensibilités s'exacerbent. La vision de gens en train d'engloutir de grandes quantités d'ail et de riz en guise de petit déjeuner est toujours difficile à supporter. La générosité joyeuse avec laquelle ils offrent de les partager avec le voyageur étranger serait attachante en toute autre circonstance. À cette heure-là, elle vous rend ronchon et désagréable.

L'auberge grouillait de jeunes gens, superbes, souriants, amicaux comme des chiots. Ils me proposèrent un peu d'ail. Alors que j'avais simplement besoin de toute urgence d'un café, ils me chantèrent — rien que pour moi — un hymne assourdissant, avec un enthousiasme hilare. Les filles me prouvèrent à quel point leurs voix pouvaient produire des trilles exquises. Les garçons, eux, firent étalage de leurs graves — et de leurs dents parfaites. Je me sentais vieux, moche et épuisé par mon voyage. Et trahi, surtout. Car je n'étais pas venu si loin pour rencontrer des chrétiens ni pour fréquenter des gens refusant obstinément d'incarner l'exotisme dont je voulais les parer. Où étaient donc leurs coutumes étranges et leurs rites bizarres? La seule chose curieuse, chez ces gens, c'était leur capacité à se montrer si totalement gentils — et si quelconques.

Deux hommes d'un genre différent étaient assis à l'autre bout de la pièce, penchés sur leur café comme si la musique leur écorchait les oreilles autant qu'à moi. Nous avons échangé des grimaces de sympathie. L'un d'eux tendit la main, avec hospitalité, vers un tabouret taillé dans un tronc d'arbre. Je me joignis à eux.

«Vous aimez la musique? me demanda-t-il.

« — C'est un peu fort.

— Ils sont chrétiens. Vous l'êtes vous aussi, je pense.

— Disons que je suis une espèce de chrétien. »

En Indonésie, seul les fous criminels n'ont pas d'affiliation religieuse. Qui étaient ces hommes ? Peut-être appartenaient-ils à la vieille religion païenne ? Je me suis déridé.

« Nous sommes musulmans, dit l'autre.

— Torajas ? »

Ils levèrent les mains, horrifiés.

« Non ! Nous sommes des Bugis de la côte. Instituteurs. »

Le terme venait d'être jeté dans la conversation comme une grenade à main. Il avait pour but de provoquer le respect. Rien à voir avec l'attitude d'un Godfrey Butterfield M.A...

Une autre chorale, attirée par le bruit de ses confrères, apparut à la porte. Pour prouver sa solidarité chrétienne, elle renonça immédiatement à son propre hymne et reprit celui du premier groupe. Désormais, pour discuter, nous étions forcés d'échanger des beuglements rauques.

« Ce n'est pas difficile de vivre dans une ville chrétienne ? criai-je.

— Non, nous formons une seule nation maintenant. »

Pancasila — les cinq principes de l'idéologie nationale — exactement ce qu'on pouvait attendre d'un instituteur.

Les troubles sont rares. (Il se pencha vers moi et sa voix baissa jusqu'à n'être plus qu'un hurlement confidentiel.) La dernière fois, c'était quand le cinéma itinérant a présenté ce film antichrétien.

— Quel film ? »

Il se tripota les cheveux comme pour en retirer des toiles d'araignée.

« Celui qui montrait le Christ comme un hippy crasseux et drogué. »

Hippy. Ils connaissaient le terme.

«Comment s'appelait ce film?» hurlai-je.

Il discuta un instant avec son ami, puis :

«*Jésus-Christ Filmstar.*

— *Superstar*? proposai-je.

— Oui, c'est ça. Il y a eu des bagarres. Ils ont pensé qu'il avait dû être fait par des musulmans.

— Je ne crois pas que ce soit le cas, dis-je

— L'autre fois, c'est quand j'ai expliqué aux enfants que les corps des saints musulmans ne pourrissent pas.

— Mais nous disons la même chose des saints chrétiens.

— Je sais, mais là c'est parce que Dieu veut conserver l'exemple de leur perversité pour l'édification des fidèles...»

J'ai fui les religions planétaires et je suis allé flâner autour d'un pré communal avec un terrain de football brouté par des chèvres. La route continuait entre des rizières et sinuait dans la vallée; de hautes herbes perçaient le sol sableux comme dans une aquarelle du XIXe siècle représentant la campagne anglaise. Dans les champs, des chevaux à l'air maussade, comme si on les avait punis, pataugeaient dans l'eau jusqu'aux fanons. C'était une journée magnifique rafraîchie par une brise légère. Partout de l'eau cascadait. Sur les collines, de petits moulins à vent en bambou cliquetaient et bourdonnaient. Un cavalier approchait sur un minuscule destrier qui dansait et regimbait sous lui. Nous rîmes et je lui offris une cigarette. Il ajusta son épée et sortit un antique briquet à silex.

«D'où êtes-vous?» fis-je.

Il fit un geste en direction des collines.

«Je suis venu au marché vendre l'étoffe de ma femme.»

Il me montra la cape orange clair qu'il portait.

«Ils tissent toujours des vêtements, là-haut?

— Oh oui. Vous verrez au marché, demain, si vous y allez.»

J'indiquai les moulins.

« À quoi servent-ils ? »

Il jeta un regard maussade vers les collines.

« Oh ! juste un jouet. Pour les enfants. »

Nous nous sommes quittés, et j'ai franchi un pont couvert, avec des sièges fixés sur les bords à la façon des bancs d'église. Deux fillettes me prirent par la main avec une confiance un peu choquante, une de chaque côté, comme dans les images de Jésus laissant venir à lui les petits enfants. Des yeux en amande d'une innocence limpide plongèrent dans les miens.

« Donne-moi des bonbons. Je veux de l'argent.

— Les bonbons abîment les dents. »

Une vieille dame qui travaillait dans un jardin laissa échapper un ricanement approbateur.

« C'est bien vrai. Elles devraient avoir honte ! »

Elles n'en avaient pas l'air, mais elles s'enfuirent en gloussant et en se moquant de nous.

« Bonjour, mère.

— Bonjour. Où êtes-vous installé ? »

Je le lui ai expliqué puis, une fois épuisées les questions habituelles, j'ai demandé :

« Où conduit cette route, mère ?

— Dans les montagnes. À Bittuang, si vous voulez. Il y a une belle maison à environ deux kilomètres. Vous devriez y aller. »

Sur un coup de tête, j'ai pointé le doigt vers les moulins :

« À quoi servent-ils ? »

Un petit sourire en coin révéla ses dents couleur acajou.

« Ils font le vent pour nettoyer le riz. »

J'ai poursuivi mon chemin, avec la sensation grandissante de me promener dans un conte de fées.

La route, abandonnant toute prétention de ressembler à un chemin anglais, s'est bientôt revêtue d'un pavage de

galets qui détonnait au milieu des bananeraies qu'elle tra-
versait. Au-dessus des arbres apparut le toit d'une maison, une structure incurvée et massive de tuiles de bois.

Les maisons torajas sont célèbres à juste titre. Ce sont
d'immenses constructions de bois, sur pilotis, assemblées
et chevillées avec astuce ; toute leur surface est magnifi-
quement sculptée et peinte de motifs élaborés, des têtes
de buffles, des oiseaux, des feuillages. Vieilles parfois de
centaines d'années, elles sont les points de repère autour
desquels les gens organisent leur vie. Elles regardent au
nord, la direction associée aux ancêtres, et, en général, un
pilier où s'empilent les cornes des buffles tués lors des
fêtes s'élève sur le devant jusqu'au faîte du toit. Versions
réduites de la même architecture, leurs greniers à riz leur
font directement face. Sous la principale aire d'entrepo-
sage, il y a une plate-forme où les gens s'assoient et participent aux actes mineurs, mais vitaux, de la vie sociale.
Ici, on vient bavarder et on reçoit ses amis ; ici, les femmes
tissent et les hommes réparent leurs outils. C'est ici, aussi,
que dorment les invités.

Un groupe d'hommes assis en tailleur me regardait
approcher. Nous avons échangé des salutations et ils
m'ont invité à m'installer avec eux. Une fois de plus, j'ai
pesté contre mes chaussures montantes qu'il me fallait
laborieusement délacer chaque fois que je les enlevais
pour pénétrer dans un espace privé. J'ai offert des cigarettes et j'ai expliqué que j'étais un chrétien anglais, puis
nous avons évoqué ce fait ahurissant : comme le riz ne
poussait pas dans mon pays, nous n'avions pas de grenier
à riz où nous asseoir !

Aimerais-je visiter la maison ? Un visage inquiet repéra
notre arrivée depuis une petite trappe à quelque six mètres
du sol et disparut dans un bruit de trottinement.
J'escaladai maladroitement l'échelle et franchis une porte
ornée d'un bas-relief représentant une tête de buffle.

Cette habitation était divisée en nombreuses petites

pièces aux seuls surélevés comme les compartiments étanches d'un bateau. Une galerie ouverte courait sur deux côtés — là encore comme un pont de navire. Rien d'étonnant, donc, si les premiers voyageurs ont suggéré aux Torajas que leurs maisons étaient construites sur le modèle des embarcations de quelque migration originelle — un point de vue que ces derniers en sont arrivés à croire. Après tout, qui pourrait mieux le savoir que des anthropologues? Les volets ouverts laissaient entrer un rai de lumière qui ruisselait de particules de poussière comme dans une église. Les vieux murs étaient décorés de photos de vedettes de cinéma occidentales arrachées à des magazines et de scènes de mariage coloriées à la main, où les visages des participants étaient bouffis et méconnaissables comme s'ils avaient été peints d'après description.

On me fit visiter. Dans une pièce, un chat sommeillait béatement dans les cendres d'un feu. Dans une autre, un bras décharné dépassait d'une moustiquaire protégeant un lit.

« Mon père, expliqua l'homme. Il veut vous saluer, mais il est malade. »

J'ai serré cette main à la peau diaphane et râpeuse, brûlante et sèche. Des yeux rougeoyaient dans la pénombre. De fines lèvres blanches ont marmonné des formules de politesse. Nous sommes retournés dans l'entrée et nous nous sommes assis sur des chaises en rotin peintes en bleu. De telles maisons n'ont pas été conçues pour les meubles, qui les rendent exiguës et disgracieuses. On a servi un café incroyablement sucré. Les gâteaux au sucre de palme rouge, que l'on offre partout à Tana Toraja en gage d'hospitalité, n'étaient pas faits pour le rendre moins écœurant. C'était agréable d'être sorti du circuit touristique et de rencontrer ces gens simples et gentils. Ma situation matrimoniale est revenue sur le tapis. Le caractère inéluctable du mariage en Indonésie rend le célibat et même le divorce incompréhensibles. Quand les enfants paraissent peu disposés à régler cette question, les parents interviennent. J'ai connu en Europe des Indonésiens terrifiés à l'idée de rentrer chez eux, même pour une courte visite, parce qu'ils craignaient d'être kidnappés et de se retrouver mariés du jour au lendemain. L'un des accessoires les plus utiles à la pratique de l'anthropologie, c'est la photo que l'on conserve dans son portefeuille. Elle montre une femme blonde aux seins lourds, vêtue d'une robe correcte suggérant néanmoins d'innombrables charmes. Ce témoignage inestimable vous tire de toutes sortes de difficultés ou vous permet d'amorcer des discussions sur les pratiques matrimoniales. Vous pouvez raconter que c'est votre épouse, votre sœur, ou même — étant donné la remarquable incapacité des membres d'autres cultures à apprécier précisément l'âge des Occidentaux — votre fille. Le seul problème d'un tel subterfuge est que vous perdez rapidement le fil des endroits où vous êtes marié et de ceux où vous ne l'êtes pas. En outre, vos informateurs ont la déplorable habitude de parler entre eux. Rien que pour cette raison, mieux vaut donc réserver ce genre de tour de passe-passe aux rencontres fortuites : il offre un raccourci précieux lorsqu'on ne se sent tout simplement pas capable d'expliquer une nouvelle fois la question du mariage en Europe. Ici, néanmoins, c'était une occasion bienvenue de faire un peu d'ethnographie douce.

Dans mon pays, ai-je expliqué, on ne paie pas pour se marier. Oui, c'était pareil dans d'autres régions de Toraja — mais pas ici, où l'on respectait les femmes —, aussi les Bugis aimaient-ils épouser les femmes torajas qui vivaient ailleurs. Dans mon pays, on donnait de l'argent en cas de divorce. Même chose ici. Dans mon pays, cependant, si un homme pauvre épousait une femme riche, il pouvait lui demander de l'argent. Ils prirent un air apitoyé. Comment pouvions-nous permettre à des gens de classes différentes de se marier ? Bien sûr que cela ne marchait pas. De toute façon, une femme ne devrait jamais se marier en dessous de son rang, dans l'intérêt de ses enfants, car son statut détermine celui de sa descendance. Nous étions plongés dans une analyse du système des classes et du mariage — c'était aussi difficile que de découper un poisson —, quand mon informateur commença à s'embrouiller et à se montrer de plus en plus incohérent. Il était temps de nous interrompre mais il ne voulait pas.

«Attendez, dit-il, je vais vérifier.»

Il se glissa dans la pièce voisine pour demander à son père, supposai-je avec une pointe de culpabilité à l'idée du dérangement occasionné à ce pauvre vieillard. Mais il revint presque aussitôt en feuilletant un épais ouvrage à la reliure bleue.

«Voilà. Tout est là-dedans.»

C'était sa thèse sur le système matrimonial, soutenue avec succès à l'université d'Ujungpandang. Il était anthropologue.

À mon départ, il me tendit un livre d'or où j'étais invité à noter mon nom, mon opinion sur la maison et — l'allusion était discrète — l'importance de ma contribution à son entretien. Je découvris avec désapprobation qu'un groupe de trente étudiants américains en anthropologie s'était trouvé dans les environs le mois précédent. Tana Toraja commençait à être vraiment surpeuplé. J'eus soudain envie de venger mes espérances déçues. J'indiquai les moulins à vent, sur les collines.

«À quoi servent-ils?» demandai-je d'un air innocent.

Mon interlocuteur fronça les sourcils.

«C'est bizarre que vous me posiez cette question. J'ai remarqué qu'à chaque fois qu'on interroge les anciens à leur sujet on obtient une réponse différente. À mon avis, ils servent simplement à marquer le temps pendant la récolte, dans le cadre d'un ensemble plus large impliquant les combats au bâton et l'usage des toupies. Il n'est toutefois pas impossible qu'ils aient une fonction pratique — effrayer les oiseaux. »

Battu à plate couture, je sonnai la retraite.

De retour à l'auberge, les jeunes chrétiens s'étaient évaporés comme la rosée du matin. Seuls le désordre du mobilier et l'odeur un peu âcre du vomi témoignaient de leurs excès de piété juvénile. La famille du propriétaire et moi étions désormais les seuls occupants des lieux, avec un sourd-muet qui entra d'un pas nonchalant et un ouvrier japonais du bâtiment qui ne parlait pas un mot d'indonésien. Il nous montra des photos déchirantes de la famille qu'il avait abandonnée pour venir construire la route. J'ai résisté à la tentation de sortir ma femme blonde. Tandis que je faisais son devoir d'anglais, le fils de la maison discutait, avec des gestes éloquents, des dangers de l'avion avec le sourd-muet. Le lendemain, le devoir revint surchargé de corrections, bourré de questions incompréhensibles du genre : « La lune est-elle à sept heures ou derrière la porte ? »

La fille rebelle de la famille passa la soirée à arracher les cheveux blancs du Japonais. Son maquillage outrancier et l'enfant visiblement à demi européen qu'elle avait ramené de Bali malgré l'absence d'un mari la rangeaient de manière presque certaine dans la catégorie locale des « femmes de mauvaise vie ». Son regard ne cessait de peser sur moi, mais je refusais de remarquer l'attention qu'elle me portait.

Soudain, elle m'interpella :

« J'ai un ami qui vous connaît bien. »

Je feignis un intérêt poli.

« En Indonésie ?

— Oui. En Indonésie aussi. On vous connaît très bien. »

Le pronom ne révélait pas le sexe de la personne en question.

« Votre ami est-il un homme ou une femme ? »

Elle eut un sourire entendu.

« Un peu des deux. »

Elle prit délicatement la tête de l'ouvrier des travaux publics dans ses mains.

Un travesti ? Pas l'actrice du théâtre de Djakarta ? Elle ajouta :

« Mais mon ami veut mieux vous connaître et il m'a remis un message pour vous. »

Elle arracha un autre cheveu blanc.

Je me suis lassé de ce mystérieux mode de communication qui passait, au sens propre du terme, au-dessus de la tête du Japonais.

« Écoutez, dis-je, qui est votre ami et quel est au juste le message ? »

Elle laissa échapper un petit rire, lâcha la tête du pauvre homme, qui faillit tomber par terre, et traversa la pièce d'un pas dansant pour me mettre une feuille de papier sous le nez.

« Voici le message, annonça-t-elle, rayonnante. Mon ami est Jésus. »

Il s'agissait d'un tract religieux.

C'était jour de marché, et les chèvres avaient dû céder à contrecœur le terrain de football à des empilements de produits de la campagne environnante. D'étranges légumes grumeleux qui rappelaient des tumeurs cancéreuses, et des tranches de jaque[1] qui faisaient penser à des morceaux de cervelle, s'amoncelaient en tas blêmes et luisants. Les échoppes en bois avaient ouvert leurs volets pliants et exposaient des marchandises bon marché en provenance de Chine et du Japon — maquereaux en conserve, savons parfumés, allumettes, porte-clés avec des filles dont le soutien-gorge tombait quand on les mettait

---

1. Le jaquier, qui ressemble à l'arbre à pain, donne d'énormes fruits de plusieurs dizaines de kilos. *(N.d.T.)*

la tête en bas. Du centre de la cohue, une voix saccadée, transmise avec force sifflements par un haut-parleur, entraînait les crédules dans une course d'obstacles. Si vous vous glissiez sous les cordes et que vous enjambiez les câbles, sautiez par-dessus les tas de tomates, traversiez en chancelant des mares d'eau usée, vous arriviez dans l'œil du cyclone.

Là, un docteur Miracle vantait les mérites de poudres qui guérissaient tout, de la dysenterie à la stérilité. À un moment donné, on chassa les dames pour pouvoir aborder le délicat problème de la «faiblesse virile». Le centre de l'attention était un sensationnel torse en plastique aux organes amovibles, qui permettait d'expliquer diverses maladies. Concession au goût populaire, il avait les formes d'une blonde Occidentale aux énormes seins démontables; on pouvait même arracher ses cheveux par touffes pour faciliter le débat sur les pellicules.

À part cela, la culture matérielle exposée ici était plus que décevante. On proposait quelques étoffes démoralisantes aux teintures désormais strictement chimiques. La plus chère était en rayonne. Alors que je fouillais dans les piles d'un air triste, je sentis quelqu'un glisser une main sous ma chemise et commencer à me chatouiller. Me retournant brusquement, je me retrouvai nez à nez avec le visage souriant de mon cavalier de la veille. Avec un geste digne d'Errol Flynn, il rejeta sa cape tubulaire et me serra contre sa poitrine.

«Si tu veux des étoffes, me chuchota-t-il, viens avec moi.»

Nous sommes entrés dans un café en bois où régnait une épaisse odeur de fumée de cigarettes au clou de girofle. Les clients étaient des montagnards, petits, vigoureux, aux cheveux épais et au visage buriné. Les hommes portaient leurs capes remontées autour de leurs oreilles comme des chauves-souris; ils ont sorti des étoffes de dessous la table, plusieurs paquets ficelés. Elles étaient rouges et orange vif avec des rayures dessinées au pochoir. Les couleurs, en teinture naturelle, s'estomperaient doucement.

«Ça vient des plantes», dit mon guide, effleurant le tissu du bout des doigts.

Nous avons commencé à marchander. Tranquillement. Une fois de plus, j'étais frappé par la différence avec la pratique africaine : ici, il n'y avait ni agressivité ni bluff vindicatif. Nous nous sommes renvoyés des prix d'une manière curieusement désintéressée, un peu comme des dégustateurs de vin goûtant différents crus. Nous n'avons pas tardé à nous mettre d'accord, et je suis reparti avec une belle cape neuve. Mais cette rencontre m'avait donné une autre idée : j'allais louer un cheval et m'enfoncer dans les montagnes.

En anthropologie, une tradition veut que la quantité de souffrances physiques endurées par un chercheur soit la mesure de la qualité de ses informations. Comme beaucoup d'autres idées reçues, elle résiste aux démentis les plus justifiés. On prétend aussi que, sous la rencontre de la tradition et de la modernité, il existe une couche de *véritable* ethnographie — ici, l'Indonésie pure et authentique. Si l'on parvient à s'éloigner suffisamment des villes, on ne peut manquer de la trouver. De ce point de vue, une chevauchée dans la forêt paraissait une intéressante perspective.

Je n'ai jamais aimé les chevaux. Mon expérience de l'équitation est limitée et lamentable. Ces bêtes-là savent d'instinct que vous avez peur d'elles.

Les deux jours suivants, j'ai passé beaucoup de temps à discuter avec les citadins. Tout comme la difficulté d'un marchandage augmente considérablement si vous n'avez aucune idée d'un prix raisonnable, il est de même très délicat de choisir les meilleurs chevaux pour une expédition quand vous n'avez qu'une faible idée de l'aspect d'un bon cheval et même de votre destination.

Des gens m'ont parlé de villages dans les collines où il y avait des maisons anciennes, où les habitants étaient encore païens et où les forgerons avaient d'étranges coutumes. Apparemment, je n'avais qu'à me diriger vers le nord. J'ai surtout passé du temps à examiner des chevaux. Je comprenais qu'il valait mieux éviter les montures décharnées et celles dont le dos présentait de larges plaies suppurantes. Mon intuition me disait de vérifier leurs sabots, je m'y suis donc employé sans vraiment savoir ce que je cherchais. Les propriétaires, cependant, comptaient absolument là-dessus. Si j'en croyais le proverbe, je devais à tout prix regarder leurs dents, ce que j'ai fait aussi. Cela ressemblait beaucoup à la prétendue compétence qu'il m'était arrivé d'afficher devant des propriétaires de voitures d'occasion dont j'envisageais l'achat. Les Indonésiens ignoraient toutefois que j'avais abandonné depuis longtemps tout espoir de juger les chevaux. C'étaient les propriétaires que je jaugeais !

Il y a une parenté évidente entre les maquignons et les vendeurs de voitures d'occasion. Les deux professions semblent compter un nombre excessif d'individus louches cachant sur leur personne d'épaisses liasses de billets. Les prix n'étaient jamais simples. Il y avait toujours une certaine somme à payer tout de suite, avec une réduction pour ceci et pour cela, et il fallait se lancer dans des calculs minutieux. L'arithmétique semblait prendre une dimension étrange et inédite. Je comprenais mal pourquoi une seule personne avait besoin d'au moins trois chevaux. Je découvris à la dernière minute qu'un marchand comptait me faire payer un supplément pour l'utilisation d'une selle. Quand je demandais qui était responsable de la nourriture des animaux, on me considérait avec ébahissement.

106

«Les chevaux mangent de l'herbe», m'expliqua quelqu'un d'une voix douce.

Et en ce qui concernait ma propre nourriture et celle du guide, les couvertures, les cigarettes? Ils haussaient les épaules. C'était mon problème. Les guides n'emporteraient rien et n'attendraient rien. Ils se reposeraient sur moi.

J'ai fini par dénicher l'homme qui convenait. Il portait le splendide nom de Darius. Son visage ouvert et franc, l'honnêteté de son regard, la vivacité de son intelligence ne trompaient pas : c'était l'Indonésien idéal. Nous avons fumé une cigarette accroupis près des sabots dont je venais de terminer l'inspection. J'ai expliqué la nature de mon expédition. D'un hochement de tête, il m'a signifié qu'il comprenait. Il y avait des gens intéressants dans les collines, et aussi de belles maisons. Je serais dans de bonnes mains avec lui. Il voyait bien que j'étais nouveau dans ce pays et que j'avais besoin d'aide. Les chevaux étaient parfaits. Je monterais celui-ci — regarde comme il est gras. Nous pouvions partir dès le lendemain. Rendez-vous au pont à 5 h 30 du matin.

CHAPITRE VI

L'un de nous est de trop
dans cette ville

Je ne fus guère surpris d'être toujours assis sous le pont à 6 h 30. Le *temps élastique* est un fait de l'existence dont même les Indonésiens plaisantent. Le système selon lequel 5 h 30 se dit « la demie de six » entraîne souvent des malentendus et les rendez-vous sont parfois difficiles. J'étais *sous* le pont pour la simple raison qu'il pleuvait à verse, de grosses gouttes qui s'écrasaient en éclaboussant et prouvaient que le toit du pont était plein de trous.

Un tintement de harnais retentit soudain dans le lointain et je levai les yeux plein d'espoir. Mais ce n'était pas Darius. Je fixai l'eau brune qui bouillonnait en contrebas tandis que les chevaux avançaient d'un sabot incertain sur les planches, derrière moi. Ils s'arrêtèrent, fumant et secouant la tête.

Je me retournai et découvris un nain de jardin, l'air plutôt bienveillant, enveloppé dans un imperméable en plastique vert à la Robin des Bois. Un long moment de silence s'installa entre nous. Il toussa. Je risquai une salutation et m'aperçus, comme je m'y attendais, qu'il ne parlait quasiment pas l'indonésien et que, de surcroît, il n'avait plus de dents. Je regardai de nouveau les chevaux. Le gnome eut une hésitation. Peut-être voulait-il que j'examine leurs sabots ? L'animal de tête ressemblait aux chevaux torajas normaux — petit, hirsute, l'air mauvais.

Il me jaugea et montra les dents. Le deuxième était presque invisible sous un amoncellement de bidons en plastique. Le troisième m'était familier. C'était certainement la bête potelée que nous avions choisie pour me servir de monture.

« Où est Darius ? »

Le gnome émit un bruissement, et finit par sortir un bras pour indiquer les collines. Alors il pointa un doigt vers lui-même, puis vers moi, et il montra de nouveau cette direction.

« Il est parti devant ? »

Le gnome gargouilla un assentiment.

Le moment que je redoutais était venu. Je devais monter en selle.

Faire le tour de ma monture ne me révéla aucun moyen d'accès évident. Une minute, quelque chose n'allait pas ! Il n'y avait pas d'étriers. Je revins devant pour ajuster les rênes et découvris qu'il n'y en avait pas non plus.

« Comment je monte ? »

Un grasseyement de voyelles indistinctes fut suivi du mot indonésien pour « sauter ». Je sautai donc et me retrouvai couché en travers de son dos. Les chevaux savent automatiquement quand ils ont un idiot à bord. Le mien choisit cet instant pour s'ébranler et heurter celui de devant, qui se retourna et le mordit. Je n'avais encore jamais vu une selle de ce genre. On aurait dit un fagot de bois de chauffage, coupé assez long pour obliger à écarter les jambes et couvert d'une toile à sac. Elle était mal serrée ; elle tourna sous moi et me redéposa sur le sol. Heureusement, les chevaux torajas sont bien deux fois plus petits que leurs homologues occidentaux ; ce ne fut donc pas une bien grande dégringolade. En revanche, la bête de devant était hélas en train de reculer. Son arrière-train fonça sur moi et se mit à trépigner autour de ma tête comme un danseur écossais. Laissant passer l'occasion d'examiner ses sabots, je roulai hors d'atteinte en gémissant, tandis que le gnome se débattait avec l'amoncellement de bidons en jurant.

À l'évidence, l'heure était venue d'assumer la direction des opérations et de fixer la forme que prendraient nos rapports futurs. En de tels moments, les difficultés linguistiques n'ont plus d'importance. Je me relevai et lui expliquai que je n'étais jamais monté sur un cheval et que j'avais besoin d'aide. Le gnome grogna. Entre-temps, une petite foule réjouie s'était rassemblée autour de nous — le genre de spectateurs que réunit tout incident mineur. Heureusement, les enfants torajas ne sont pas timides, et l'un d'eux s'approcha pour m'enseigner les commandes de base, un garçon d'une dizaine d'années qui sauta sur la bête avec une grâce insolente puis m'expliqua qu'il fallait serrer l'animal avec les genoux. Les mains devaient agripper le devant de la selle en fagot. Dans les moments délicats, comme la traversée de rivières à la nage (allais-je donc traverser des rivières à la nage?), le plus simple était de planter ses doigts dans la crinière. Le cheval connaissait les mots indonésiens pour gauche et droite.

« Merci. Maintenant, dis-moi comment je le fais démarrer… Non, d'abord comment je l'arrête. »

Il saisit le toupet du cheval et lui tordit la tête en criant « Stop ! ». Ça avait l'air de marcher. Le cheval était totalement soumis. Le gamin sauta à terre avec souplesse. J'essayai de prendre sa place. On aurait dit un de ces pathétiques spectacles de camp de vacances où des grands-mères se laissent convaincre de singer les mouvements de danseuses plus jeunes. L'enfant soupira ; il alla au bord de la route, sortit un couteau et se mit à tailler un énorme bâton.

« Pour avancer, tu frappes le cheval avec ça en criant "zooouu". »

Je tentai quelques « zooouu » délicats, mais sans le bâton.

«Non, pas comme ça. *Zooouu!*» hurla-t-il, en assenant au cheval une tape puissante sur la croupe.

Nous avons bondi avec une secousse qui m'a rejeté la tête en arrière, tandis que j'essayais désespérément de me retenir avec les pieds ou les genoux — ou n'importe quoi. La foule, ravie, poussait des cris moqueurs. Ma progression s'avéra très désagréable. Plusieurs morceaux opposés de la bête semblaient se soulever simultanément, si bien qu'il n'y avait aucun endroit stable sur le radeau en fagot. Le gnome et le cheval aux bidons galopèrent derrière nous et nous dépassèrent. Apparemment, nous étions en route. Sous sa capuche de plastique vert, mon guide arborait un sourire goguenard plus grand que lui.

Ce jour-là, nous avons chevauché pendant douze heures sans la moindre pause. La route s'étirait devant nous, déprimante, sur des kilomètres, cicatrice d'un rouge criard découpant le paysage. Au début, nous avons suivi les doux reliefs de la vallée, sous une pluie fine et plutôt agréable. Puis nous nous sommes attaqués à la pente. Les champs ont rétréci et ils ont disparu. Au bout d'une demi-heure d'une ascension régulière, nous étions dans la forêt. Rien à voir avec la forêt tropicale, fraîche et ombragée, que j'avais connue en Afrique. Ici, elle était froide, humide et brumeuse. Chaque plante semblait tendre vers vous des feuilles tranchantes ou hérissées de piquants pour s'attaquer à votre chair. C'était étrange de rencontrer ici des plantes d'appartement qui, en Angleterre, poussaient à contrecœur à force de cajoleries. Ici, elles étaient luxuriantes et d'une répugnante fécondité. On sentait bien qu'il suffisait de s'arrêter pour qu'elles se mettent à grouiller partout sur vous.

Sur une piste plus fréquentée, il y aurait eu des ponts. Au lieu de cela, tous les quelques kilomètres, un grondement d'eau annonçait une lente descente, le long de laquelle les chevaux sautaient et dérapaient sur des rochers mouillés, jusqu'à la rivière elle-même. À cette époque de l'année, les torrents étaient bas, si bien que nos bêtes ne s'y enfonçaient que jusqu'à l'arrière-train et avançaient avec précaution sur le sol caillouteux. Au fond de ces vallées régnait toujours un épais nuage de moustiques ou de papillons qui s'installaient sur nous pour se repaître de notre sueur.

Le cheval me soumettait à des tests subtils. Il apprit rapidement que lorsque je criais « zooouu ! » en vain pour le faire accélérer, j'étais étrangement réticent à utiliser le bâton. Il ralentit donc et se mit à traînasser. Espérant établir une trêve entre nous, je demandai son nom. Le gnome murmura quelque chose qui ressemblait à « Merde alors ». Le cheval réagit immédiatement et prit le trot. Je commençai à apprendre de petits bouts de technique. Je m'aperçus qu'il était plus facile de se pencher en arrière quand on descendait une pente et en avant quand on la montait.

Nous devions prendre peu à peu de l'altitude, car la température baissait. Il pleuvait plus fort. Le dos des chevaux s'était mis à fumer. J'étais reconnaissant de la chaleur qui montait de Merde Alors. À un moment le gnome s'arrêta pour rajuster les bidons et j'en profitai pour aller me soulager. Nous avons partagé une cigarette. Je me suis inquiété de Darius.

« Darius ? (Il indiqua la direction d'où nous arrivions, en agitant les doigts pour marquer la distance qui nous séparait de lui.) Darius est malade.

— Darius va venir ? »

Il grogna.

« Darius ne viendra pas ? »

Grognement identique.

Je me retrouvais donc seul dans la forêt avec un nain incapable de me parler, et je n'avais ni vivres ni la moindre idée de notre destination. Mais, au moins, mon gnome semblait obsédé par un but et poussé par un puissant désir de continuer. Il n'avait pas l'air content de

113

notre progression ; il m'exhortait à avancer plus vite. Il adopta alors un nouveau stratagème : il se plaça derrière moi pour cingler brusquement Merde Alors tandis que nous chevauchions. Avec le même résultat qu'auparavant. Merde Alors bondissait en avant dans une folle embardée, qui risquait de me désarçonner ou de plonger mon visage dans des feuillages coupants comme des lames de rasoir. Je hurlai et réussis finalement à frapper son cheval, qui se cabra — ce qui me fit vraiment plaisir. Ensuite, mon guide se contenta de murmures à l'adresse de Merde Alors, proférés sur un ton si lourd de menaces que cette méthode se révéla tout aussi efficace.

Les heures succédaient aux heures.

Le gnome chuchotait au cœur de la forêt d'un ton sournois, comme un auteur de coups de téléphone obscènes. La pluie augmentait. Les sangsues qui nous guettaient depuis les arbres dessinaient autour de nos cous et de nos poignets comme des bijoux enchevêtrés. Le sang commençait à suinter de leurs morsures. Les guides de voyage conseillent de tuer les sangsues avec des cigarettes. Ces bêtes sont parfaites, en effet, pour écraser des mégots, mais cela ne les tue pas. De temps en temps nous apercevions un champ entre les arbres ; à cette altitude, ce n'était plus du riz mais du manioc qui poussait sur des pentes presque verticales.

La terre rouge ruisselait d'eau, luisante et boueuse. Je me rappelais les passages rassurants de mon guide mensonger qui recommandait aux voyageurs de prendre leur sac à dos et de s'offrir une agréable randonnée dans cette région. Je m'imaginais en train d'escalader à pied ces éboulis dangereux en dérapant, gagné par un désespoir et un épuisement grandissants.

Nous avons finalement atteint un village, mais mes espoirs d'y trouver un abri furent vite réduits à néant. Il était abandonné depuis longtemps et étouffé par une plante grimpante velue qui grouillait d'araignées.

Nous avons arpenté la rue principale, jadis pavée de larges dalles disjointes, et désormais soulevées par une végétation fouisseuse. Nous avons gravi avec précaution un escalier géant aux marches hautes d'une soixantaine de centimètres. Des débris de mortiers en pierre jonchaient le sol comme après une scène de ménage titanesque.

J'aurais aimé manger, mais c'était loin des préoccupations du gnome. Il semblait même ne jamais boire. Je tentais donc d'ignorer ma propre soif sous une pluie battante et, bientôt, la migraine m'élança au rythme des sabots des chevaux. C'est à ce moment-là que je me suis souvenu que, parmi tous les médicaments que j'avais emportés, j'avais oublié l'aspirine.

En fin d'après-midi, nous sommes arrivés sur une crête. Une épaisse forêt s'étendait à une distance invraisemblable dans toutes les directions. Mamasa devait se trouver quelque part derrière nous mais demeurait totalement invisible. Une rizière était perchée comme une piscine sur un toit d'hôtel, solitaire mais superbe, avec des épis de ce vert incroyable que seul le riz peut produire. Sur l'un de ses côtés se dressait une belle et solide maison, à l'arrière de laquelle s'élevait une fumée. Une odeur de café grillé flottait dans l'air. Des enfants agitaient joyeusement la main depuis une véranda. Ce serait merveilleux de retrouver le plancher des vaches.

Le gnome cria quelque chose et accéléra pour prendre la tête. Incroyable! Nous ignorions la maison et nous replongions dans la forêt! Je saisis l'un de ses mots, *terlambat*, «trop tard». J'étais puni parce que je chevauchais trop lentement. Je commençai à haïr ce guide.

La dernière heure ajouta les tourments du désespoir aux autres souffrances de la journée. La pluie pianotait sans répit sur les feuilles, autour de nous, et il faisait sombre lorsque nous nous sommes arrêtés devant une misérable cabane au bord de la route.

Je n'ai jamais vu arriver chez moi, à la tombée de la

nuit, deux inconnus croûtés de boue et de sang qui estimaient pouvoir, sans problème, manger et dormir dans ma maison. Et j'espère que ce ne sera jamais le cas. Je risquerais, je le crains, de me montrer moins hospitalier que nos hôtes, un jeune fermier et sa famille. Ils avaient quitté la côte étouffante et émigré ici, alléchés par la perspective d'une terre qu'ils pourraient considérer comme la leur.

C'était une habitation récente, bâtie en planches, avec une profusion d'interstices qui laissaient circuler le vent. Nous avions beau être en pleine forêt, personne ne gaspillait du bois pour faire du feu, sinon pour cuisiner, si bien que nous nous sommes assis sur le sol dur et sommes restés là à frissonner dans nos vêtements gorgés d'eau. Le moment était venu d'essayer ma cape neuve de Mamasa. Elle était trempée, mais elle me protégerait au moins des courants d'air. Je me suis enfoui dans ses plis humides.

Le fermier parlait indonésien. Il vivait ici depuis trois ans; c'était le gouvernement qui l'avait encouragé à émigrer. Mais la vie était dure. Ils ne recevaient plus aucune aide des autorités et la première priorité était, bien entendu, l'achèvement de la mosquée. Avec la température, à cette altitude, on avait beau faire, on n'obtenait qu'une seule récolte de riz par an. Avais-je entendu parler des autres touristes dans les montagnes? Il y avait quatre Français à cheval dans les environs. La nuit tombait; ils n'avaient pas d'argent pour acheter une lampe à pétrole. Nous sommes restés assis dans le noir, et seule la lueur des cigarettes éclairait nos visages par intermittence. Des enfants se glissèrent dans la pièce en rampant, enveloppés de légers bouts de tissu. Une fois de plus, je me sentis désespérément inutile. J'aurais voulu savoir jouer de la flûte ou raconter des blagues dans la langue qu'ils chuchotaient.

On servit le repas. Du poulet, vraiment une grande richesse pour cette famille de fermiers. Je leur en fus reconnaissant — au diable Aeroflot! Il sentait délicieusement bon, mais tout à coup je fus trop fatigué pour manger. J'essayais, mais mes dents refusaient tout bonnement de fonctionner. Je l'ai gardé pour le lendemain en le dissimulant sous ma cape. Le gnome et le fermier engloutirent le reste, avec un énorme tas de riz. Ça m'a rappelé le restaurant d'Ujungpandang où on m'avait donné une gigantesque passoire de riz « pour une personne ».

Un petit enfant entra et, sans autres formalités, s'installa sur mes genoux dans l'obscurité. Je lui ai passé mon poulet et il l'a mâchonné dans un silence de conspirateur.

Quand je repris conscience, il faisait jour. En tant qu'invité, je m'étais montré coupable de manque d'appétit et de conversation. À cela s'ajoutait l'insulte de m'être endormi au milieu du repas. Chacun de mes membres semblait contracté par une crampe douloureuse et j'avais la bouche pâteuse comme après une traversée nocturne de la Manche. La migraine était oubliée, mais j'avais un nouveau problème. J'étais aveugle. Je faisais encore la différence entre la lumière et l'obscurité, mais les contours des objets étaient flous. Mes yeux étaient enflés et brûlants. Quelqu'un essayait d'enfoncer des aiguilles incandescentes dans mes iris. J'avais aussi des problèmes pour respirer. De la morve ruisselait de mon nez et une crise d'éternuements ininterrompus m'épuisait et me faisait haleter. J'avais dû attraper une pneumonie. Tandis que je gisais là, impuissant et terrifié, une silhouette se mit à flotter dans mon champ de vision. À la voix, je reconnus le fermier. Il riait. Oui, il riait de mon calvaire ! Je compris soudain qu'il m'avait empoisonné. Entre la fureur et l'apitoiement sur moi-même, ce fut l'apitoiement qui l'emporta. Mon hôte tendit la main vers moi et m'ôta ma cape. Il n'avait même pas la patience d'attendre ma mort pour dépouiller le cadavre ! J'étais trop épuisé pour résister. Il recommença à pouffer.

« Le piment ! dit-il.

— Quoi ?

— C'est le piment. Ils s'en servent pour teindre les étoffes. On ne doit jamais porter une cape de Mamasa avant de l'avoir lavée au moins trois fois, mais le mieux c'est encore d'acheter les nouvelles, sans teinture végétale. Il y en a une autre, aujourd'hui, qui est bien plus douce. »

Je compris qu'il voulait parler de la rayonne.

Il me débarrassa donc de ma cape et recommença à rire, sans la moindre arrière-pensée. Une heure plus tard, je m'étais lavé et j'avais réussi à avaler un peu de manioc cuit au four. Je voyais et respirais de nouveau, avec ce joyeux soulagement que l'on ressent quand on guérit d'une maladie. Seul le gnome paraissait mécontent. Il rongeait son frein métaphoriquement, tandis que nos chevaux le faisaient au sens propre du terme. Je n'étais pas en état de sauter sur Merde Alors, mais je parvins à me hisser sur le radeau de fagot qui tenait lieu de selle. Poussé par ma gratitude et mon euphorie, j'offris probablement trop d'argent au fermier. En guise d'adieu, il donna une tape au cheval et celui-ci bondit en avant comme un fou.

Une nouvelle journée commençait.

Les quatre jours suivants s'emmêlent dans mon souvenir. Seul le martèlement des sabots des chevaux, tant à l'intérieur qu'à l'extérieur de mon crâne, caractérise leur identité fantomatique. Parfois il pleuvait et j'étais trempé ; parfois le soleil brillait et j'avais très chaud. Nos animaux semblaient de plus en plus irascibles et les bagarres qui éclataient entre eux commençaient à nous gêner sérieusement.

Le gnome refusait de s'arrêter, obsédé par quelque dessein inconnu et sinistre. Je ne croisai aucun Toraja menant une vie d'une noble simplicité ethnographique. En fait, plus nous nous enfoncions dans la forêt, plus elle était épaisse et plus les traces d'installations humaines s'espaçaient. Bientôt il n'y eut quasiment plus personne du tout. De temps à autre, nous tombions sur des bûcherons solitaires, presque toujours accroupis dans de pauvres abris prenant l'eau, au bord du chemin, ou en train de débiter des rondins à la main pour fabriquer des planches. Il ne doit pas y avoir beaucoup de situations plus pénibles dans l'existence que de tenir la poignée inférieure d'une scie à deux hommes au fin fond d'une forêt indonésienne et sous une pluie battante : on se prend toute la sciure dans la figure. Mais je ne pouvais pas parler à ces gens. Et je crois que le gnome ne le pouvait pas non plus. Sans doute avions-nous franchi quelque invisible frontière linguistique.

Nous sommes donc tombés dans un silence total auquel n'échappait que Merde Alors, qui, lui, continuait à bénéficier des chuchotements de menace de mon guide. Une fois, nous avons passé la nuit dans un de ces abris, au milieu des miasmes de sciure, de fumée et de moustiques, dormant par intermittence à cause du bruit des boîtes de conserve avec lesquelles le bûcheron du lieu avait construit un dispositif très élaboré pour effrayer les nuisibles, actionné par une ficelle nouée à son gros orteil. Nous subsistions avec un régime de riz et de piment. Je ne mangeais pratiquement plus.

Le dernier jour, je sentis qu'il se passait quelque chose. Notre solitude cessa brusquement avec un convoi de chevaux qui arrivait en sens inverse. Notre sentier donnait sur une route plus importante au milieu de laquelle des générations de cavaliers avaient creusé un profond sillon. Toutes les branches à hauteur de tête avaient été brisées par une circulation incessante. Hélas, je me déployais plus loin vers le haut et vers le bas que la plupart des gens du cru, si bien que j'étais obligé de lever les pieds pour ne pas racler les bords du sillon et de baisser la tête pour éviter les branches. Ceci, ajouté au risque constant d'une bagarre entre nos chevaux, m'assura un voyage éprouvant.

Les Indonésiens conduisent à gauche. Cela signifiait,

puisque nous grimpions la montagne dans le sens des aiguilles d'une montre, que nous nous trouvions sur l'extérieur, en posture délicate face au convoi qui descendait et dont les chevaux, hérissés de bidons de paraffine, cognèrent et bousculèrent les nôtres, menaçant de nous faire basculer dans le ravin. Il y eut des tergiversations et des cris. Les bêtes dérapaient sur les pierres. La lâcheté étant mère de prudence, j'abandonnai ma monture et poursuivis à pied. Au sommet, il y avait un homme d'une cinquantaine d'années, vêtu d'une cape de couleur vive ; en me voyant, il éclata de rire et sautilla de joie.

« *Belanda !* (Hollandais !) s'écria-t-il en me montrant du doigt.

— Toraja !» répliquai-je, répondant à son geste.

Il n'avait jamais rien entendu d'aussi drôle et il reprit sa petite danse d'allégresse. Après des jours entiers d'un silence total, le simple fait de bavarder me faisait tourner la tête.

« Je croyais que vous étiez le groupe de Français qui traverse les collines, huit Français à cheval. Mais vous êtes seul. Ou alors les autres sont morts ?»

Ça aussi c'était hilarant.

« D'où êtes-vous ?» demandai-je, le coiffant au poteau en matière de questions.

Il tendit son pouce au-dessus son épaule.

« Du nord.

— Qu'est-ce qu'il y a au nord ?

— Deux kilomètres plus haut, il y a une belle maison, et puis la ville. »

Nous avons continué à bavarder jusqu'à l'arrivée du gnome qui poussait les chevaux devant lui. Mon nouvel ami plissa le front.

« Une chose que je ne comprends pas. (Il indiqua nos animaux.) Pourquoi voyagez-vous avec deux étalons et une jument en chaleur ? Ça ne complique pas les choses ?»

Manifestement, je n'aurais pas dû examiner que les sabots.

L'expérience m'a appris à ne pas prendre au pied de la lettre les estimations de distance. J'attendais avec impatience de découvrir à quoi ressemblaient les maisons sculptées de cette région. Le gnome dirait ce qu'il voudrait, j'insisterais pour m'arrêter. J'ai préparé mon appareil photo.

Presque deux kilomètres plus loin, pourtant, à ma grande surprise, nous sommes sortis de la forêt. Retenant ses chevaux, le gnome allongea le bras avec un geste signifiant « Et voilà ! » et prononça ses premiers mots d'indonésien depuis des jours.

« Nous sommes arrivés », annonça-t-il avec l'emphase d'un valet de pied.

Nous nous trouvions au centre d'un parcours de golf immaculé dont la surface délicate donnait l'impression qu'il aurait suffi d'un seul mot désobligeant pour la meurtrir. Un groupe de Japonais impeccablement vêtus de ce qu'il faut bien qualifier de tenues de loisir — shorts et chemises à carreaux — nous fixait avec une certaine consternation. De leurs fers ergonomiques pour putter, ils nous signifièrent de contourner leur terrain de golf plutôt que de le traverser. Notre apparition ne semblait pas les étonner outre mesure et, tandis que nous passions par la bande d'herbe sous les arbres, ils retournèrent à leur entraînement, les visières de leurs casquettes américaines de base-ball braquées avec détermination vers les balles qu'ils s'apprêtaient à frapper.

La « belle maison » n'était pas, comme je l'avais supposé, une vieille habitation sculptée. C'était un bungalow de style américain avec un toit d'aluminium brillant et un sol de dalles en plastique. Mais il y avait plus important : pour quelqu'un qui mourait de faim et de soif, c'était, à l'évidence, une sorte de club-house — ou, au moins, un bar. J'ai éprouvé un bref et absurde moment de panique à l'idée de ne pas être autorisé à entrer sans cravate.

Ils est toujours plaisant de se rejouer les clichés du cinéma. Nous avons mis pied à terre avec raideur, secouant la poussière de nos vêtements comme Roy Rogers avait coutume de le faire, puis avons attaché nos chevaux à la balustrade, devant le bâtiment. Nous sommes entrés d'un pas nonchalant, les jambes raides à la John Wayne, et nous nous sommes approchés du comptoir. Mon appareil photo pendait à mon cou comme un acte d'accusation.

Je ne m'attendais pas à être compris, mais d'une certaine manière je me sentis obligé de dire :

« Balancez-nous deux mousses ! »

Le barman se fendit d'un sourire.

« D'ac, chef. Japonaises ou locales ?

— Locales. Vous parlez bien l'anglais.

— Sûr. J'ai trois ans dans mines de nickel, là-haut, au nord, avec les Canadiens. Je parle vachement bien. Vous avec groupe de Français à cheval, douze personnes avec trois guides ?

— Non. C'est quoi, cet endroit ?

— C'est plantation de café. Tous les directeurs japonais viennent des avant-postes. Café cuit ici. D'où arrivez-vous ? Vous avez drôle d'accent.

— De Mamasa. Nous avons traversé les montagnes à cheval.

— Vous fou. Pourquoi pas prendre camion comme tout le monde ?

— En camion ? »

Comme pour répondre à ma question, on entendit à l'extérieur un poids lourd qui passait en marche arrière.

« Oh ! »

Le gnome tétait sa bière et gesticulait dans l'espoir d'un nouvel approvisionnement. Je sentais que j'aurais dû me mettre en colère, mais en fait, je m'en fichais.

«Est-ce que tous les gens qui viennent ici sont japonais?

— Nous avons des gars qui travaillent là-haut à la station de radio. Ils passent leur temps à regarder films porno sur satellite de Thaïlande, alors ils ne se montrent pas beaucoup.»

Sur le mur, au-dessus de sa tête, un panneau soigneusement calligraphié définissait le règlement du club :

Les palmiers à l'ouest du green sont comptés comme obstacle naturel, comme les lâchers d'animaux.

«Est-ce qu'il y a un endroit où dormir?

— Sûr. Il y a troquet dans rue principale.»

Je descendis ladite rue avec Merde Alors. C'était une simple ligne de maisons de fortune évoquant un peu le Far West. Personne ne semblait lâcher d'animaux.

Le tas de bouteilles de bière et les draps qui séchaient sur la clôture rendaient le «troquet» facilement identifiable. L'arrangement entre le nain et moi se termina par un versement d'argent. Quand je sortis de ma poche l'épais rouleau de billets ravagés, il y avait une sangsue nichée en son milieu, comme un symbole de l'usure.

L'établissement était tenu par un Chinois à l'air déprimé dont la famille en pleine expansion s'était répandue dans pratiquement toutes les chambres, ce qui augmentait ses frais et, du même coup, réduisait ses revenus. Le dernier apport à la maisonnée était un fils osseux, rentré au bercail après des études d'architecture. Il vivait sur un balcon, dessinait des gratte-ciel qui ne seraient jamais construits et possédait un lecteur de cassettes très bruyant sur lequel il écoutait avec un égal plaisir de la musique pop et des sermons chrétiens.

Il n'y avait pas beaucoup de place pour moi, si bien que, pour réduire au minimum ma perturbation de leurs dispositions domestiques, je me vis attribuer une partie du sol de la chambre contenant les filles pubères de la famille, qui passaient leur temps à glousser. Elles étaient protégées de mes regards impudents par les rideaux qui entouraient leur lit à baldaquin. Un flot constant y entrait et en sortait en trottinant, si bien que je n'ai jamais su exactement combien il y avait de gamines derrière les rideaux qui dansaient et se gonflaient sous l'effet des mystérieuses opérations féminines menées à l'intérieur.

Ces distractions n'étaient rien comparées à celles que m'offrait la pendule, dont le carillon électronique sonnait les heures avec un bruit semblable à celui d'un cuirassé britannique. Quand j'en ai parlé au propriétaire, il m'a répondu avec fierté :

« C'est mon fils qui a fait ça. Avant, c'était très calme. »

Désespérant de trouver le sommeil, je suis parti à la recherche de mon nain. Il avait déjà rempli ses bidons de paraffine et il avait immédiatement remis le cap sur Mamasa. Je me suis dit que je pouvais tout bien aussi profiter de cette route carrossable et poursuivre jusqu'à Rantepao.

CHAPITRE VII

Du riz et des hommes

Quand le camion entra dans Rantepao, je vis d'abord une mosquée peinte d'un vert éclatant et surmontée d'une coupole décorée de feuilles d'aluminium martelées. C'était le mois du ramadan : d'ici le coucher du soleil, aucun musulman ne mangerait ni ne boirait. Un pieux marmonnement montait de l'intérieur du bâtiment. Je remarquai alors un homme plié en deux, à l'extérieur de la mosquée, qui vomissait copieusement. Il était saoul et était en train de promettre de s'amender au dieu qu'il servait, quel qu'il fût. Mes compagnons de voyage poussèrent des exclamations réprobatrices, tels des censeurs, et m'assurèrent que ça ne pouvait pas être un Toraja. Sur le tableau de bord de notre véhicule, un autocollant annonçait : « Le Christ est mort pour vos péchés. » Tout à côté, deux autres images — de jeunes Chinoises peu vêtues et un homme buvant de la bière — suggéraient les péchés en question.

Après ma chevauchée depuis Mamasa, je me sentais d'une irritabilité cosmique ; je souffrais tout à la fois du froid, de la faim, de la fatigue et de l'ennui, et je n'avais pas la moindre idée de ce qui pourrait bien me remettre en forme.

Près du marché, un petit hôtel, propre et bon marché, semblait capable d'offrir quelque réconfort à une colère spirituelle. Au centre du jardin se dressait un grenier à riz toraja. On trouve ces magnifiques constructions dans toutes les montagnes de l'île. Dressés à environ sept mètres du sol sur de grands pilotis tubulaires, les greniers sont richement sculptés et entièrement peints. Une splendeur les couronne : un élégant toit concave de tuiles en bambou qui remonte sur l'avant et sur l'arrière comme un chapeau d'amiral. La plate-forme qui s'étend sous le grenier est cet espace social essentiel aux villages torajas. Il y fait toujours frais, et il y a toujours un endroit propice où appuyer son dos. J'ôtai mes chaussures et m'installai pour sommeiller.

Nous ne savons jamais ce que le destin nous réserve ni à quel moment Dame Fortune interviendra dans nos vies d'une manière dont nous assurerons plus tard que c'était la conséquence de nos intentions et de nos plans. Alors que j'étais assis là, abattu psychologiquement et physiquement, sur la plate-forme d'un grenier à riz au cœur de l'Indonésie, le destin décida de m'envoyer ce que je ne cherchais même pas : un assistant de terrain. Il ne m'apparut pas dans un nuage de fumée, mais dans un uniforme de serveur.

« Salut, chef ! »

J'ouvris des yeux mauvais et découvris une petite silhouette sombre qui, souriant d'une oreille à l'autre, lançait un plateau en l'air et le rattrapait d'une seule main. Finalement, elle le laissa tomber avec bruit.

« Je t'apporte une bière ?

— Oui, d'accord. »

L'homme s'éloigna en sifflotant une mièvrerie pop et en donnant des coups de pied dans son plateau, puis revint avec une bière qu'il ouvrit d'un coup de poignet théâtral. La capsule s'envola et il la saisit adroitement au moment où elle retombait. Il posa la bouteille et se glissa à côté de moi sous le grenier à riz.

« T'as un clope, chef ? »

126

Je lui tendis une cigarette.

«D'où tu viens? Je m'appelle Johannis.»

Nous nous sommes lancés dans la litanie habituelle des questions-réponses. Un autre serveur fit son apparition en bâillant et en se grattant comme s'il sortait d'un sommeil de dix ans, et il s'assit sous le grenier. Le cuisinier ne tarda pas à nous rejoindre.

«Le patron n'est pas là aujourd'hui», annoncèrent-ils en lorgnant la bière.

Nous nous sommes bientôt retrouvés à jouer aux cartes — un jeu qui se rapprochait des dominos — en partageant la bière. Un enfant entra sur une bicyclette délabrée. Quelqu'un l'en arracha rapidement et le posa sur ses genoux.

«C'est mon cousin», expliqua le cuisinier.

Un gros homme, un voisin, arriva en traînant les pieds pour lire le journal. C'était le chauffeur d'une femme très riche qui avait mis à la mode les pèlerinages chrétiens en Terre sainte. Il spéculait généreusement sur sa vie privée.

«Allons chercher du vin de palme», proposa une silhouette dans le fond.

C'était le fils du patron qui, manifestement, était décidé à faire cause commune avec les dépravés. Bientôt, nous disposions de tubes de bambou remplis d'un breuvage écumeux. Johannis se montra tatillon et insista pour que nous transférions leur contenu dans une théière émaillée avant de remplir les verres.

J'eus droit à une présentation improvisée de différentes sortes de vin. Nous avons goûté celui des hautes terres et celui des basses terres, celui avec de l'écorce rouge, frais et fabriqué la veille. C'était une excellente boisson mousseuse. Que l'on puisse enfoncer un couteau dans un palmier et que la sève soit un breuvage sain et capiteux, le vin de palme, est peut-être l'argument le plus convaincant jamais avancé en faveur de l'existence d'une déité bienveillante. Des levures naturelles font fermenter le sucre de cette sève. Plus le breuvage est ancien, moins il est riche en sucre et plus il est alcoolisé. À moins d'être trafiqué, il est extrêmement pur, car il a été filtré à travers toute la longueur du tronc de l'arbre. Son seul défaut est son puissant effet laxatif.

« Vous aimez ? »

J'aimais et j'en fus récompensé par des tapes dans le dos et des étreintes viriles. La conversation prit alors un tour plus philosophique. La télévision indonésienne possède, grâce à la Grande-Bretagne, une source abondante de programmes bon marché, si bien que les habitants ont tendance à avoir des opinions sur le pays. Nous avons longuement parlé de Mme Thatcher, qu'ils estimaient compétente parce qu'elle était forte. Dans la vie politique indonésienne, la force est bonne en elle-même, quelles que soient les fins qu'elle sert. Et puis ils prétendaient que Thatcher était belle, aussi. Même ici, curieusement, on s'intéressait beaucoup à la famille royale britannique. Le récent mariage du prince Andrew avait été très apprécié, même si on avait considéré la chose avec plus d'enthousiasme que de compréhension. Tout le monde ou presque le confondait avec le prince Charles. Il avait pris une seconde épouse ; il devait donc s'être converti à l'islam.

Mais un démon semblait désormais s'être emparé de nous.

« Allons au combat de coqs. Les *puttymen* aiment les combats de coqs ?

— Dans l'ancien temps, expliqua Johannis, c'était plus qu'une simple distraction. Si vous aviez un problème avec quelqu'un et que vous vouliez trancher la querelle entre vous, vous pouviez utiliser des coqs de combat pour ça. »

On nous a conduits derrière quelques maisons et nous avons traversé une cour. Le cuisinier semblait éprouver quelques difficultés à marcher. Nous nous sommes baissés pour passer sous du linge qui séchait, et nous sommes arrivés dans un vaste espace dégagé où se trouvaient une cinquantaine d'hommes et de gamins qui, tous, jetaient des regards inquiets autour d'eux. Quelqu'un vint faire des remontrances à Johannis.

« Ils n'étaient pas contents d'avoir un touriste ici. C'est illégal. Mais j'ai expliqué que tu étais un ami. De toute façon, cet homme est un policier. »

Les gens formèrent de petits groupes et les conversations devinrent plus vives. On agitait de l'argent. Un type commença à crier et à ramasser les billets dans un chapeau de paille. On exhiba soudain deux énormes coqs luisants, dissimulés jusque-là sous des sarongs, et on lissa impitoyablement leurs plumes. On avait fixé à leurs pattes de méchants ergots en acier. Leurs propriétaires les jetèrent plusieurs fois l'un contre l'autre pour les exciter. À l'évidence, pourtant, c'étaient des animaux particulièrement pacifiques, bien moins agressifs que les chevaux torajas. Ils gloussaient et se frottaient mutuellement le cou avec adoration. Nul besoin d'être très doué en anthropologie, voire en freudisme de comptoir, pour associer la virilité du coq à celle de son maître. Visiblement, les Torajas faisaient la même association.

On entendit des ricanements et les deux propriétaires commencèrent à rougir — c'est-à-dire que leurs visages bruns prirent une teinte plus sombre. Johannis m'attrapa par le cou et pouffa ; il tendit son petit doigt et le laissa retomber en un geste suggestif. L'un des deux hommes commença à suer abondamment et donna des tapes sur le derrière de son oiseau noir. Celui-ci poussa soudain un cri rauque et bondit. Il y eut un bref tourbillon de plumes peu concluant, comme si les deux volatiles essayaient de s'envoler mais qu'ils fussent trop lourds. Du sang suinta de la poitrine de son adversaire, qui s'écroula. Le coq noir piétina avec exultation le cadavre de son rival vaincu qui, maintenant, gisait inerte et brisé comme un paquet de chiffons, objet de fierté devenu embarrassant.

Une dispute éclata alors entre les spectateurs, qui hurlaient et agitaient le poing. L'homme au chapeau de paille le vissa sur sa tête, l'argent toujours dedans, et fit face, solide comme un roc, visage sévère, bras croisés sur la poitrine.

« Ils veulent récupérer leur argent, expliqua Johannis.

— Mais pourquoi ?

— Cet homme a enfoncé un morceau de piment dans le derrière de son oiseau.

— Oh ! je vois. »

Le policier se détacha de la foule et se lança dans une pantomime invitant à la modération ; il battait des mains en un geste de supplication comme pour éteindre des flammes.

« Maintenant, c'est *lui* qui veut l'argent, dit Johannis avec ravissement. Tu imagines quelqu'un confiant de l'argent à un policier ? »

Le vainqueur décrocha une nappe qui séchait sur le fil et gesticula avec théâtralité.

« Il demande la patte du poulet mort. C'est son droit. »

Le propriétaire de l'animal vaincu attrapa alors le cadavre par une patte et le brandit sous le nez de son adversaire.

« Lui, maintenant, il exige d'être payé pour *son* poulet. »

Une femme fit son apparition et commença à hurler plus fort que tout le monde.

« Qu'est-ce qu'elle a ? demandai-je. Elle avait parié ?

— Non. C'est sa nappe. »

Rantepao offre peu de distractions nocturnes. À huit heures, les portes et les volets de la plupart des maisons sont solidement bouclés. Le marché abrite les rares derniers noctambules qui achètent du savon ou de l'huile pour la cuisine. De temps en temps, le cinéma propose des films du genre *Vautrées dans la boue,* une histoire de « papillons de nuit » très légèrement érotique. Sinon, seuls les carrefours sont les centres de l'activité nocturne. Les gens viennent s'y asseoir, le regard vide, enroulés dans leurs capes, et contemplent les rues désertes. Les conducteurs de *trishaws* sommeillent sur leurs sièges et plaisantent entre eux, tous les bus ayant cessé leur quête bruyante de passagers à la tombée de la nuit, vers six heures.

Un ou deux lampadaires jettent une faible lueur morbide et éclairent les tas de déchets végétaux, souvenirs des échanges de la journée, que des chiens fouillent avec un optimisme proche du désespoir. Des groupes d'écoliers se rassemblent sous la lumière comme des phalènes. Non, *pas* comme des phalènes : les garçons dans un groupe, les filles dans un autre, s'observant avec l'excitation qui naît de leur mutuelle ignorance.

Alors que je passais, plus tard ce soir-là, une silhouette solitaire, vêtue d'une fine chemise de lycéen, s'est détachée d'un groupe et m'a hélé.

« Salut chef. Où tu vas ?

— Johannis ! Que fais-tu dans cet uniforme ? »

C'est toujours difficile de donner un âge aux Indonésiens. Il était quand même trop vieux pour aller encore à l'école, non ? Il a agité un livre dans ma direction. *Introduction à la biologie.*

« Il n'y a pas l'électricité chez moi, et ils râlent si je brûle de la paraffine rien que pour lire, alors nous devons venir ici pour étudier à la lumière des lampadaires. »

Une vague de culpabilité postimpériale m'a submergé. J'ai pensé à mon propre monde de lampes de chevet, de bourses et de bibliothèques.

« Tu vas toujours au lycée ? »

Il a soupiré.

« Je devrais être marié mais, oui, je vais toujours au lycée. Je suis tout le temps obligé d'arrêter mes études pour retourner dans les rizières. Ou alors je travaille dans

des hôtels pour payer ma scolarité. Ça prend si longtemps. Encore un an et je peux finir. Puis je chercherai
un emploi.

— Quel genre d'emploi ? »

Il m'a regardé comme si j'étais fou.

« *N'importe quel* emploi. Mes parents deviennent trop
vieux pour s'occuper des rizières. Nous autres, les fils,
nous devons les aider.

— Tu travailles, demain ?

— Non. Demain, je vais à des funérailles. (Visiblement, cette perspective le réjouissait.) Hé, pourquoi tu
ne viens pas aussi ?

— Un enterrement ? Je ne vais pas déranger ? »

Il a éclaté de rire.

« Non, plus il y a de visiteurs, plus il y a d'honneur.
Allons-y ensemble. Je ne veux pas retourner à l'hôtel. Je
pourrais tomber sur le patron. Demain, tu es ici à huit
heures. On trouvera un camion. C'est poli de porter
quelque chose de noir. »

Je fus réveillé par des chants de coqs. Je récoltais ce que
j'avais semé [1]. Des hurlements et des claquements de
portes étouffés suggéraient que le patron était rentré et
que notre débauche de la veille n'était pas passée inaper-
çue. Une étouffante atmosphère de culpabilité, comme
des gens marchant sur des œufs, pesait sur l'établissement.
Je me faufilai dehors sans prendre mon petit déjeuner.

Johannis portait un T-shirt noir avec la légende « Né
pour gagner » et une paire de jeans « Bing Crosby ». La
seule chemise noire en ma possession provenait de la campagne thaïlandaise de contrôle des naissances. Elle montrait des préservatifs dans les postures des trois singes de
la sagesse asiatique. Johannis m'assura qu'elle convien-
drait parfaitement. Le gouvernement se battait pour le

---

1. En anglais : « *His chickens have come home to roost.* » Littéralement
« Ses poulets reviennent percher chez lui. » *(N.d.T.)*

contrôle des naissances. Ils penseraient que j'étais le grand Bapak d'un ministère.

Les funérailles torajas sont des manifestations joyeuses par nature, du moins à leur dernier stade, quand le chagrin est oublié. Le corps peut très bien avoir été conservé pendant plusieurs années, tandis qu'on mobilise les ressources et qu'on convoque les gens partis à l'étranger. L'émigration est depuis longtemps la réponse à la dureté de la vie dans les montagnes. Mais les Torajas reviennent toujours au pays, en particulier pour les fêtes de ce genre.

Cette fois, il ne s'agissait que d'un petit événement selon les normes en vigueur. Certaines funérailles coûtent des centaines de milliers de dollars et des ambassadeurs et des ministres y assistent. Mais celles-ci étaient une affaire locale. Il y aurait la famille, les amis, les voisins. Le camion nous déposa au bout de la route goudronnée. Nous avons dû grimper ensuite plusieurs kilomètres par des sentiers glissants dont la surface piétinée attestait de la popularité de la fête. Je peinais et je dérapais dans mes chaussures. Avec un grand sourire, Johannis ôta ses tongs et continua en agrippant la terre avec ses orteils calleux en éventail.

Nous nous sommes mêlés à un autre groupe qui escaladait péniblement la colline avec des charges que j'aurais été incapable de transporter — par exemple de longs tubes en bambou remplis de vin de palme dont la mousse débordait doucement. Deux hommes serraient sous leurs bras des cochons transformés en sacs à main par des liens en rotin. Six autres ployaient sous le poids d'une énorme truie dont le ventre traînait par terre, si bien qu'elle couinait et se débattait. Tout le monde riait et criait.

« On va manger de la viande, expliqua Johannis. À Toraja, c'est rare. On doit souvent se contenter de riz et de piment. »

J'ai repensé à mes repas lugubres sur la route de Mamasa.

De loin nous parvenaient maintenant des coups de gong et de soudaines acclamations incongrues. Au détour d'un virage nous avons découvert la vallée et le site des réjouissances. Le convoi s'arrêta immédiatement. On avait érigé un grand grenier de deux étages qui ressemblait un peu à un décor de cinéma. Couvert d'une couche de laque qui luisait au soleil, il éclipsait les maisons traditionnelles. Accrochées à des mâts, de longues étoffes palpitaient et ondulaient au-dessus d'une foule qui grouillait autour des pilotis des habitations. La fumée des feux de bois épaississait l'air. En face des maisons, des grappes de visiteurs s'entassaient sur les autres greniers à riz.

«Wouah! (Johannis pointa le doigt avec excitation.) Un combat de taureaux!»

Rien à voir avec ce que nous nommons chez nous corrida, un homme bien armé affrontant du bétail. Deux énormes buffles domestiques se mesuraient en haletant comme des lutteurs de sumo. Leurs propriétaires avaient mené ces mastodontes par des longes passées dans les anneaux de leurs mufles. Des serpentins rouges ornaient leurs cornes. Comme pour les coqs, le secret consistait à les lancer et les lancer encore l'un contre l'autre jusqu'à ce qu'ils se mettent en colère, verrouillent leurs cornes et combattent. Les propriétaires devaient s'écarter en donnant l'impression de ne faire qu'un pas nonchalant de côté. Il y eut un grand fracas quand les têtes se heurtèrent, cornes contre cornes et os contre os. La foule rugit. Les cornes poussaient et tournaient. Soudain, le plus gros des deux se libéra et s'enfuit telle une matrone en détresse, éparpillant devant lui un essaim de petits garçons comme paille au vent. Pour leur plus grand plaisir, son propriétaire en tenue d'apparat s'étala dans la boue, et la charge du buffle fut détournée par un galopin qui lui jeta des mottes de terre. L'homme se releva et plongea un regard lourd de reproches dans celui de sa bête.

134

«Tu vois, dit Johannis en bombant le torse, l'un est gros, mais le petit est robuste et courageux. Juste comme toi et moi!»

Là-dessus, il me donna une tape dans le dos et éclata de rire.

Nous n'étions pas en retard. Des visages marqués par la vie et la gueule de bois nous jetaient des regards troubles depuis le seuil des maisons. Des enfants erraient tristement entre les constructions, chargés de nourriture. Partout on entendait des gens cracher, tousser et se moucher. Des gosses agitaient la main et lançaient :

«Salut m'sieur!»

Johannis demanda son chemin et on nous indiqua l'une des maisons. Après un long interrogatoire venu d'en haut, un petit vieillard ridé descendit par une échelle très raide. Négocier des marches avec élégance en jupe longue est a *priori* un exercice destiné aux jeunes filles qui préparent leur entrée dans le monde. Mais cet homme était un maître de cet art. Il souleva son sarong noir d'une main et descendit le dos à l'échelle, se débrouillant pour s'accrocher aux barreaux avec les talons. Je sortis de mon sac un paquet de cigarettes qui aussitôt disparut dans les plis de son vêtement.

«Numéro quinze», dit-il.

Toutes les constructions avaient un numéro.

Les occupants du quinze formaient une joyeuse bande, vaguement apparentée à Johannis. Ils avaient déjà attaqué le vin de palme, et les cloisons tressées s'étaient imprégnées de l'agréable odeur de cigarettes au clou de girofle et de souvenirs de réjouissances antérieures. Ils se lancèrent dans une longue conversation au cours de laquelle Johannis devint muet et se mit à rougir. Plus il se renfrognait, plus les autres riaient. De vieilles dames, dans un coin, marmonnaient et cachaient leur nez dans leurs mains. Johannis refusa de me révéler de quoi il s'agissait.

135

Ses amis, cependant, ne demandaient qu'à traduire, ajoutant ainsi à son embarras.

« C'est un problème de bambou, expliquèrent-ils en se poussant du coude.

— De bambou ?

— Oui. Vous voyez, dans des fêtes comme celle-ci, qui durent plusieurs jours, nous avons l'occasion de rencontrer des filles, une fois la nuit tombée — des filles qui viennent de loin. Si elles sont d'accord, elles nous retrouvent à l'écart. La dernière fois, Johannis a rejoint une fille dans le bosquet de bambous. Mais le bambou donne des démangeaisons — vous savez. On se gratte. La mère de la fille a trouvé des marques dans son dos et l'a battue. (Il tapa dans ses mains.) C'était merveilleux ! Qu'est-ce qu'elle a pleuré ! Mais elle était maligne. Elle n'a pas révélé le nom de Johannis. Tout ce qu'elle a accepté de dire c'est qu'elle était allée là-bas pour sentir les fleurs.

— Sentir les fleurs ?

— Oui, intervint Johannis d'un ton malheureux. Mon nom de famille, c'est *Bunga,* fleur. Sentir les fleurs, embrasser Bunga, c'est la même chose dans notre langue. »

Il paraissait en mal d'amour et j'eus l'impression qu'il avait soudain rapetissé.

Un gamin apparut au bas de l'échelle et nous sourit. Johannis se mit en colère et essaya de le chasser d'une claque. Le gamin tenait à la main les parties génitales d'un buffle tué la veille. En plaçant ses doigts à certains endroits stratégiques, il pouvait produire une brusque et alarmante érection qu'il agitait sous le nez des invités.

« Viens, dit Johannis d'un ton décidé. Allons voir le corps. »

Il s'avéra que le défunt était de sexe féminin et qu'on l'avait gardé dans la maison pendant près de quatre ans après sa mort, les humeurs de la putréfaction absorbées par un généreux enveloppement. Il n'émanait assurément aucune odeur désagréable du volumineux paquet contenant le cadavre.

« De nos jours, dit Johannis, ils trichent, avec du formol de l'hôpital. »

La femme était exposée dans la pièce de devant, aux murs décorés de riches étoffes et de couvre-lits en patchwork. L'enveloppe extérieure de sa dépouille était d'un rouge éclatant, de la même teinte exactement que le tricycle d'enfant rangé à côté. Johannis ignora le corps.

« C'est un beau tricycle, dit-il. Regarde. (Il pressa un bouton et le jouet commença à émettre un bruit de sirène de police et à jeter des éclairs rouges et bleus.) Wouah ! »

Un homme fumait, appuyé contre le cadavre. Il se levait de temps en temps pour frapper sur un gong. C'était le son que nous avions entendu depuis l'autre côté de la vallée.

« On n'autorise pas n'importe qui à faire ça », déclara-t-il, aussi imbu de son importance qu'un gardien de parking.

Difficile de savoir quoi faire lorsqu'on vous met en présence d'un mort. L'admiration semble déplacée. Doit-on risquer des commentaires sur sa taille ? Il me parut préférable de m'en tenir à des questions vides de sens, du genre famille - royale - à - qui - on - montre - une - merveille - industrielle. Depuis combien de temps ? Comment exactement ? De quelle religion ? Un intérêt poli et impressionné semblait l'émotion la plus convenable.

Un jeune homme entra et se mit à chercher quelque chose derrière le corps. Se couchant presque dessus, il attrapa les cassettes dissimulées à cet endroit. Il les déversa sur le cadavre, recommença à fouiller et, cette fois, sortit une grosse radiocassette noire. Il choisit Michael Jackson et se mit à danser, les fesses tournoyant sur le vacarme des saxophones. Les cassettes restèrent répandues sur le corps telle une offrande colorée. Il régnait ici une absence notable de crainte et de piété en présence de la mort.

Un martèlement insistant résonna sur le toit. Je levai la tête. Il pleuvait sur la tôle galvanisée. Dans l'ancien temps, les gouttes auraient produit un doux crépitement sur des tuiles en bambou.

« Oui, dit Johannis, ils sont riches ici. Le mieux, dans tout ça, c'est que si tu n'as pas de toit traditionnel, tu n'es pas obligé de dépenser tout cet argent pour les cérémonies, tuer des porcs et tout ça. Et il en reste pour payer l'éducation des enfants. »

Visiblement, c'était l'un des thèmes essentiels de son existence.

De l'extérieur nous parvinrent soudain des beuglements, des espèces d'aboiements de chien. On ouvrit les fenêtres en forme de sabords et on découvrit, en bas, un Chinois corpulent, dans un short immaculé, qui s'époumonnait dans un porte-voix. Le plus impressionnant chez lui, c'était son énorme bedaine qui ressemblait plus à une pièce en option, boulonnée et démontable, qu'à une partie de son individu. Je mis du temps à comprendre qu'il hurlait en français. Derrière lui, une vingtaine de *putty-persons* traînaient les pieds en se plaignant bruyamment. À l'arrière-garde venaient trois ou quatre Indonésiens qui semblaient souffrir de tics nerveux.

« Wouah ! s'exclama Johannis avec plaisir. Des touristes ! »

Ils pénétrèrent dans le village comme une armée d'invasion, mitraillant les gens à bout portant avec leurs appareils photos et s'asseyant dans les greniers à riz sans y être invités — en gardant leurs chaussures. Ils ne cessaient de clamer qu'ils ne s'amusaient pas, qu'ils s'ennuyaient. Les Torajas échangèrent des regards consternés et firent le nécessaire pour leur servir du café. La plupart le refusèrent. Puis on leur proposa du riz.

« Nous ne mangeons pas de riz ! » cria une femme rougeaude.

Une autre essayait d'acheter une des étoffes ; elle tirait

sur les textiles tendus sur la façade de la maison de la morte. Par l'intermédiaire de l'interprète, on lui expliqua qu'il s'agissait de biens de famille empruntés et qu'ils n'étaient pas à vendre. Elle prit un air revêche et partit rôder ailleurs.

Johannis et moi, nous nous sommes repliés au numéro quinze et nous nous sommes tapis dans la pénombre, mais les guides nous avaient repérés. L'un d'eux s'approcha et considéra Johannis d'un air furieux.

« Tu n'as pas de permis. Pourquoi travailles-tu comme guide ?

— Je suis toraja, répliqua sèchement Johannis. D'où viens-tu, toi ? De Bali ?

— C'est comme ça, intervins-je, cet homme n'est pas mon guide, il est mon ami. »

Il y eut un silence stupéfait. Cela semblait une chose ridicule à dire, une déclaration stupidement explicite, un sentiment qui devait s'exprimer par le geste ou rester intime. Toutefois, en le disant, j'ai su que c'était vrai. Jadis, j'avais vécu pendant quelque dix-huit mois dans un village africain sans y rencontrer une seule personne que j'aurais pu appeler ainsi. Ici, en revanche, se faire des amis semblait presque inévitable. Avais-je un préjugé inconscient contre l'Afrique ? Peu probable. Était-ce simplement que dans cette région de l'Afrique il n'existait aucun concept d'amitié correspondant au nôtre ? Les amis d'un homme faisaient inévitablement partie de ceux avec lesquels il avait été circoncis. Leur culture ne prévoyait pas que vous puissiez rencontrer des gens sans parenté avec vous et éprouver une affinité et une sympathie mutuelles. À Tana Toraja, les liens familiaux étaient forts, pour ne pas dire infrangibles puisqu'ils s'étendaient outre-tombe. Et cependant, il y avait aussi de la place pour l'amitié. Était-ce simplement que dans cette partie de l'Afrique les gens vous abordaient avec une servilité embarrassante ou une hostilité arrogante, alors qu'un fermier toraja vous regardait droit dans les yeux et vous parlait d'égal à égal ? À moins que cela ne vînt des différences dans les attentes culturelles suscitées par le visage d'un Blanc, d'une autre histoire du colonialisme ? Toujours est-il que cela semblait très réel.

Il y eut soudain un assourdissant fracas de gong. Un enfant français était entré dans la maison et, en quelques minutes, il venait d'infliger au vénérable instrument de nombreuses années de service. La pluie se remit à tomber, de grosses gouttes lourdes, mais les invités continuaient à arriver par petits groupes et par délégations plus solennelles. Celles-ci se formaient à l'extérieur du village et faisaient de grands efforts de toilette, puis des hommes vêtus en guerriers, arborant des casques à cornes et agitant des lances, venaient à leur rencontre. Ils accueillaient les visiteurs avec une parade guerrière, en poussant des cris et des jappements yodlés, puis ils les conduisaient à l'endroit où ils devaient remettre leurs présents et s'installer. Les visiteurs les plus progressistes avaient acheté des T-shirts où était imprimé le nom de leur hameau. Les cochons, cette menue monnaie des obligations rituelles, furent traînés sans cérémonie ni douceur, tandis que l'on faisait défiler les buffles en grande pompe. Des dames élégantes passaient avec beaucoup de grâce et proposaient des noix d'arec et du café. Un homme muni d'un cahier d'écolier vint enregistrer les dons. Il hocha la tête avec amabilité à mon intention.

« Quand il y aura une fête dans *leur* village, nous leur rendrons ces choses, m'expliqua-t-il.

— Est-ce qu'il n'y a que les gens des autres villages qui font des offrandes ? demandai-je.

— Non. Tout le monde donne. Les amis donnent. Les enfants aussi. Ils doivent offrir un buffle s'ils veulent avoir les rizières en héritage. Pas de buffle, pas de rizières.

— Et les gens de ton village, Johannis, qu'est-ce qu'ils ont amené ?

— Ma foi, nous ne sommes pas tellement proches. De toute manière, il ne nous reste plus de buffles. Mon frère vient juste d'obtenir son diplôme de l'université d'Ujungpandang. Ça a coûté quinze buffles. S'il n'y avait pas la récolte de café, je n'irais pas à l'école du tout. »

Un martèlement sonore monta de derrière l'une des maisons.

« Ah ! Ça, ça va te plaire. »

Il m'entraîna. Des femmes entouraient un mortier à riz sans rien dedans, un énorme tronc d'arbre évidé ; leurs robes noires s'agitaient au rythme rapide de leurs coups tandis qu'elles abattaient leurs lourds pilons sous la direction d'une dame sévère.

Les fêtes torajas sont rigoureusement divisées entre celles de l'est — célébration de la vie — et celles de l'ouest — célébration de la mort. Le riz est étroitement associé à la vie, et les parents proches doivent donc y renoncer pendant un deuil. Le mortier vide proclamait au monde ce sacrifice de soi. Ironiquement, il faisait aussi office de gong pour annoncer qu'on passait à table. Des femmes commençaient à apporter de la viande et du riz dans les abris ou chancelaient parmi la foule sous le poids de seaux débordant d'un café sirupeux. Pour fêter l'événement, on avait empilé du riz au milieu du plancher ; cela faisait un tas rouge et luisant.

« Cuit dans du sang », annonça en français le guide à l'intention des touristes d'à côté.

Il y eut des exclamations de dégoût. Je traduisis pour Johannis.

« Il a tort. C'est juste une variété qui pousse rouge.

— Le sang de porcs et de buffles, parfois de chiens… poursuivait la voix avec autorité. (On entendait désormais les haut-le-cœur des rares Français à avoir goûté au riz.) On le laisse coaguler une nuit avant de le faire rôtir.

— Non… souffla une femme, d'une voix faible.

— Ils tranchent les gorges des animaux et le

recueillent encore tout chaud dans de longs tubes de bambou...

— Je regardais ce vin de palme, dit une voix masculine, toujours en français. Il a l'air un peu rose. Vous ne pensez pas que... »

Johannis nous fit passer un plat de viande de buffle et de graisse de porc. C'était très coriace. J'optai pour un œuf dur posé à une extrémité du plat. Une jeune fille d'une beauté éblouissante, avec de longs cheveux noirs et une peau dorée sans défaut, vint récupérer la vaisselle. Johannis en eut le souffle coupé.

« Je vais l'aider. »

Je ne le revis plus d'une heure et demie, mais il eut la gentillesse de revenir me chercher pour m'accompagner en contrebas du village, jusqu'au champ où se dressaient des monolithes ressemblant aux pierres levées de Stonehenge en miniature.

« Viens. Ils vont tuer un buffle. »

Un homme aux cheveux longs retenus par un bandeau amena un buffle qui dansait et secouait la tête. Il y eut un long et inexplicable délai, du genre de ceux qui précèdent un événement, n'importe où dans le monde. Les Français firent leur réapparition, agités et râleurs. Ils m'ont montré du doigt.

« Z'avez vu ? Il était là le premier ! Ah, ces guides ! »

L'homme au cahier inspectait le buffle comme un comptable. Il vérifia ses notes et entama le long interrogatoire de l'homme qui s'occupait de la bête. Finalement, on remporta l'animal.

« *Zut, alors. Merde*[1]. »

Après une attente interminable, deux buffles plus petits arrivèrent et on les attacha par une patte à des piquets. Le comptable s'affaira autour d'eux et écrivit. Des enfants à l'air espiègle s'approchèrent, s'appuyant sur des tubes

1 En français dans le texte.

de bambou taillés en pointe. Celui qui se promenait avec l'érection portable l'exhiba avec une fierté naïve devant les Françaises.

« Aah ! Dégoûtant ! C'est tout à fait toi, Jean. »

Un vieux monsieur distingué, courbé sous le poids des ans, se lança dans une très longue et très lente allocution.

« Un *to minaa*, un grand prêtre de la vieille religion... expliqua le guide.

— C'est juste le chef de famille », grommela Johannis.

Les Français se démenaient pour régler le cadrage et le temps d'exposition.

« ... Une psalmodie inchangée depuis des milliers d'années... poursuivit le guide.

— Il est en train d'expliquer qu'il est chrétien et donc qu'il ne mangera pas de cette viande, corrigea Johannis.

— ... Racontant un mythe de l'ancien temps...

— ... et la Sainte Vierge », conclut le vieil homme.

L'homme au bandeau sortit de son fourreau une machette dangereusement affûtée. Tenant la corde qui liait le buffle, il fit courir la lame sur sa gorge d'une manière presque caressante. Un silence. Une ligne rouge apparut sur le cou de l'animal. Celui-ci commença à haleter et à rouler des yeux dans le jaillissement d'une fontaine de sang. Les petits garçons voulurent s'avancer, mais le tueur les retint d'un bras tendu, alors que le buffle chancelait et trébuchait. Enfin, la bête grogna et tomba à genoux. Les enfants se précipitèrent dans la source qui se tarissait, et en riant ils plantèrent leurs tubes de bambou effilés dans la plaie béante pour recueillir le sang chaud. Il ruisselait sur leurs visages et sur leurs mains. Il leur poissait les cheveux et leur coulait dans les yeux. Puis ils s'éloignèrent en titubant avec leurs tubes inclinés, bousculant leurs aînés qui, déjà, écorchaient l'animal — ce dernier bougeait toujours — et répandaient ses entrailles fumantes sur l'herbe.

Le second buffle tirait sur sa corde pour s'échapper,

143

mais l'exécuteur marcha droit sur lui et lui trancha la gorge. De nouveau le sang jaillit, et de nouveau il fallut retenir les gamins. Mais cette fois la bête ne tomba pas. Au contraire, elle réussit à se libérer et, poursuivie par des hommes agitant des épées, elle grimpa la colline au galop vers le lieu de la fête. La foule poussa des cris et s'ouvrit devant elle, les hommes craignant pour leur vie, les femmes pour leurs vêtements. Enfin, le buffle fut cerné et calmé. La machette taillada à nouveau. Une fois de plus, la victime s'échappa, projetant du sang dans toutes les directions. On essaya de l'abattre deux fois encore. Peu à peu, cependant, un lent tremblement gagna tout le corps de l'animal, depuis les pattes. Il tomba. La foule poussa des soupirs de soulagement. Johannis eut un petit rire.

« De la magie. Quelqu'un essaie de gâcher la fête. »

Il pinça les lèvres et hocha la tête d'un air docte. Les petits garçons avaient l'air contrariés, car il ne restait plus une goutte de sang dans la créature. Les Français mitraillaient avec frénésie, mais de loin, « Terrible... Affreux... », tandis que le guide vomissait un commentaire interminable.

« Assez, maintenant ! déclara soudain Johannis. On retourne en ville ! »

Un entrepreneur plein d'initiative avait organisé un service de bus *ad hoc* pour regagner Rantepao. Il rigola quand je montai.

« Regardez. Y a un géant qui arrive. »

Il commença à percevoir le prix des billets, des coupures rouges de cent roupies qu'il étalait en éventail entre ses doigts.

« Attendez ! s'écria une dame à l'allure de matrone, au moment où il prenait mon argent. Pourquoi c'est plus cher pour lui ? »

Le chauffeur passa immédiatement au toraja, et Johannis traduisit avec ravissement :

«Je le fais payer plus cher parce qu'il est plus grand.

— Oui, mais il n'a pas de bagages. De toute manière, je vais m'asseoir sur ses genoux, répliqua la femme.

— C'est à moi de décider combien je lui demande.

— Oui, mais le prix pour affréter ce bus est de quinze mille. Si vous lui faites payer plus, je donnerai moins.»

Le chauffeur revint et me rendit de l'argent. Il me sourit.

«Réduction pour *puttyman*...»

Johannis laissa échapper un petit rire, passa ses bras derrière sa tête et se livra à l'une de ces perverses torsions vertébrales que les Indonésiens jugent bonnes pour leur dos.

«Demain, annonça-t-il d'un ton rêveur, je retourne dans mon village, Baruppu'. Pourquoi tu ne viendrais pas aussi?

— Pourquoi pas? Merci Johannis.»

À la station de bus, il y eut l'un de ces moments délicats où les relations se définissent pour toujours. Je mis la main dans ma poche.

«Euh... Johannis...»

Il eut un mouvement de recul.

«Écoute. Tu es un homme riche. Je suis très pauvre. Alors, quand tu partiras, tu me donneras quelque chose Peut-être tes chaussures. (Il les regarda : elles étaient grandes et fatiguées.) Bon, peut-être pas tes chaussures, mais quelque chose *comme* tes chaussures. Mais pas d'argent. Ça serait insultant.»

Un ami, donc.

«Je te retrouve demain. Maintenant, je vais manger chez mon oncle. Puis je retournerai peut-être à la fête.

— Regarder les bambous?»

Il sourit.

«Oui, peut-être que je regarderai les bambous. Dans ce village il y a de très jolis bambous.»

145

À l'hôtel, le propriétaire était tout sourire. Soit que ma participation à la débauche de la veille lui fût inconnue, soit qu'elle fût pardonnée au motif qu'il faut s'attendre à toutes sortes de comportements antisociaux de la part d'un client. Mais il était écrit que la nuit ne serait pas paisible. Je sentis soudain qu'on me tirait par la manche avec nervosité. Je me retournai et découvris un petit homme fureteur au regard incisif et en perpétuel mouvement.

« Salut, patron. Je suis Hitler. Peut-être tu as entendu parler de moi. »

Difficile de répondre à ça. Sans doute avais-je mal compris…

« Hitler ?

— Oui, Pak. Mon père entendait souvent ce nom à la radio avant ma naissance, et il lui a plu. »

Il m'entraîna jusqu'à ma porte et, dans la lueur de la faible ampoule, il me mit une photo Polaroid sous le nez. Un autre travesti aux jambes poilues ? Non. C'était un mannequin funéraire en bois, le genre d'objet que les Torajas placent devant leurs tombes, et celui-là était très beau.

« Tu achètes, Pak ? J'ai entendu dire que tu es d'un musée.

— Non. Tu sais que je n'ai pas le droit d'acheter des choses anciennes. Je ne veux pas d'ennuis.

— Je l'envoie à Bali pour toi. De Bali tu peux l'expédier n'importe où. Tout le monde fait ça. J'ai un ami. »

Il mentionna le nom d'un marchand londonien.

« Non. »

Il changea de tactique.

« Ce n'est pas un vieil objet. Juste une très bonne copie. Je te fais un prix intéressant. »

Me débarrasser de lui sans me montrer grossier prit du temps, mais j'y parvins. Je commençais à m'enfoncer dans l'inconscience du sommeil quand on tapa de nouveau à

146

ma porte, assez fort. Un autre homme. Il paraissait outragé.

«Mon frère est venu te voir.

— Ton frère?

— Hitler.

— Oh, Seigneur!

— Pourquoi tu refuses de lui acheter à lui? Tu as eu une meilleure offre?

— Non, je veux juste dormir.»

J'essayai de refermer la porte. Il la repoussa.

«Un cercueil, un vieux cercueil sculpté. Tu l'achètes?

— Non!»

Il partit enfin.

J'eus l'impression qu'il ne s'était écoulé que quelques minutes lorsqu'on frappa de nouveau. Un beau soleil entrait à flots par la fenêtre. J'ouvris. Une main grasse me repoussa dans la chambre.

«Vous me connaissez?» souffla la voix.

C'était le policier du combat de coqs.

«Oui, je vous connais.

— Bien. Il y a un homme dehors. Son nom est Hitler. C'est un trafiquant d'objets volés. Il va essayer de vous vendre une effigie de tombe. Quel que soit le prix qu'il vous demande, dites que vous la prenez. Vous aiderez ainsi la République indonésienne. Je veux l'arrêter.

— Attendez. Pas si vite...»

Manifestement, quelqu'un allait être piégé ici, mais comment être sûr que ce ne serait pas moi? Un riche touriste. Qui travaillait pour un musée. À mes propres yeux je faisais un excellent suspect.

«Acceptez, c'est tout, ajouta le policier d'un ton sifflant. (Pourquoi chuchotait-il?) Ça me déplairait vraiment de penser que vous n'êtes pas un ami de la République. Votre nom ne sera pas mentionné.»

Sans attendre une réponse, il ouvrit la porte et traîna Hitler à l'intérieur. Ce dernier vanta les vertus de l'objet, son âge, la pureté de ses lignes. Le policier me donnait de temps à autre un coup de coude dans les côtes en hochant la tête avec enthousiasme. J'étais décidé à refuser. Mais, en même temps, l'atmosphère était lourde de menace. Qu'est-ce qui les empêchait d'inventer simplement une histoire entre eux? À l'évidence, je ne pouvais pas non plus opposer un refus catégorique.

«Vous comprendrez, commençai-je, que je dois faire très attention. C'est une très belle effigie de tombe. (Grand sourire du policier.) Mais il pourrait être illégal pour moi de l'acheter. (Il me donna un nouveau coup de coude, l'air menaçant.) Il faudrait que je la voie. Je ne peux pas acheter quelque chose que je n'ai pas vu. (À présent, ils paraissaient soucieux tous les deux.) Peut-être pourrions-nous nous retrouver à un autre moment dans un autre endroit?»

Ils échangèrent un regard.

«Peut-être, dit Hitler, que je pourrais l'apporter ici ce soir?

— Bonne idée!»

Ce soir, je serais dans le village de Johannis.

Le policier me gratifia d'un autre coup de coude.

«Je suis sûr que vous pouvez vous décider maintenant.

— Non. Je dois absolument la voir avant de l'acheter.»

Il s'épanouit.

«Vous l'achetez? Bien, nous revenons ce soir.»

Ils retournèrent à leur motocyclette. En partant, le policier m'adressa un horrible clin d'œil.

Les propriétaires d'autobus ne risquaient pas leur parc le plus récent sur la route de Baruppu'. Le nôtre était affreusement balafré et criblé de trous. Il avait visiblement traversé une période où on lui ravalait la façade, mais ce temps était révolu. Il était décrépit et à bout de souffle, et il le savait.

Johannis jaugea les occupants.

« Trop de *cewek*. Pas assez d'hommes. »

La remarque semblait curieuse dans sa bouche.

« Quand on est coincés, expliqua-t-il, les femmes et les cochons restent dedans. Seuls les hommes descendent pour pousser. »

Les cochons ? J'ai regardé à l'intérieur. Ils étaient bien là, ligotés à un bambou passé entre leurs pattes.

Johannis avait apporté de la viande, des œufs, de l'ail et des piments. On aurait dit que Baruppu' était une terre de famine. Nous avons fait plusieurs fois le tour de la ville, une pratique à laquelle je commençais à m'habituer. Le chauffeur s'arrêta pour manger. Un homme retira miraculeusement de l'argent de la caisse de la compagnie d'électricité. On entassa des noix de coco sous nos pieds. Le véhicule s'affaissait toujours plus sur ses amortisseurs. On embarqua une femme qui semblait sur le point d'accoucher. On démonta une bicyclette et on la rangea au fond. On prit des enfants sur nos genoux, on transféra des bagages dans les coins. Tout le monde fumait et gardait les fenêtres soigneusement fermées, alors que la journée était loin d'être froide.

Le tableau de bord du minibus indiquait d'impossibles pannes simultanées de tous les systèmes. Le voyant d'alarme des freins et celui de l'huile étaient allumés. On n'avait ni carburant ni eau. La batterie, apparemment, se déchargeait en continu. À tous les points d'eau le conducteur s'arrêtait et versait des litres et des litres sur le siège de son voisin. Ce n'était pourtant pas là que se trouvait le radiateur. En fait, c'était l'embrayage qui chauffait tellement que les sandales en plastique du voyageur de devant commençaient à fumer.

On nous fit payer nos billets. On nous expliqua qu'il s'agissait de permettre au chauffeur d'acheter de l'essence. Enfin, nous avons fait une halte à une station. Le pompiste me montra du doigt.

«Turiis!» déclara-t-il avec un sourire.

La compagnie de cars avait manifestement quelque lien avec cet établissement, car le pompiste se débarrassa de sa casquette à visière comme d'une marque de servitude, sauta au volant, emballa le moteur et démarra en poussant un cri yodlé. Je fus le seul à paraître surpris.

«Wouah!» s'exclama Johannis, avec un pur plaisir qui me fit me sentir vieux et désabusé.

Les autres hommes se frappaient les cuisses du plat de la main, avec exubérance, et entonnèrent quelque chose en chœur — plus tard, je découvrirais que c'était le cri de guerre toraja.

CHAPITRE VIII

Bateleurs de montagne

Une brume matinale flottait encore dans les vallées, tapie entre les arbres et dans les sous-bois. Il faisait à peine jour, mais déjà montait la première grande marée d'écoliers. Les enfants émergeaient des buissons épais des bords de la route, leurs manuels serrés contre eux — sans doute en prévision de leurs futurs devoirs conjugaux —, et se frayaient un chemin entre les pierres qui n'avaient pas tardé à l'emporter sur toutes les tentatives de goudronnage.

L'autocar cahota et tangua sur une piste qui grimpait en colimaçon, puis il émergea du nuage; au-dessous de nous, noyé dans la brume, bouillonnait le chaudron de Rantepao et de hautes chaînes de collines se succédaient aussi loin que portaient le regard et l'imagination. Humides de rosée, les premiers rayons du soleil faisaient briller leurs sommets.

« Wouah! s'écria une voix qui parut tomber du ciel. Superbe! »

J'ai passé la tête par la fenêtre avec difficulté, en me tordant le cou, et j'ai découvert que le toit avait été colonisé. Deux petits enfants, irradiant le bonheur, s'y perchaient avec cette joie profonde que procure le danger mortel aux êtres très jeunes.

Après une bonne heure de cahots qui nous mirent les

fesses en compote, nous nous sommes arrêtés. Le chauffeur pivota sur son siège et m'adressa un sourire malicieux.

« Nyonya Bambang », dit-il.

Difficile d'en déduire quelque chose, à part que le ton de sa voix suggérait que ce serait bien. *Nyonya* est le terme qu'on emploie pour une femme mariée respectable, tandis que Bambang est un prénom d'homme. Mais je n'ai pas tardé à avoir mon explication.

D'une maison proche émergea en effet un homme à la propreté agressive. Il était littéralement reluisant des pieds à la tête. Une fois de plus, j'ai repensé à l'époque où j'allais à l'école. C'était le chouchou du prof! Avant de s'installer sur le siège à côté du chauffeur — ce qu'il avait l'air de considérer comme un droit —, il l'épousseta avec un mouchoir immaculé. Il s'adressa à moi comme si j'étais la seule personne digne de son attention.

« Je m'appelle Bambang. Je suis architecte à Djakarta. »

Il me tendit une main qui me fit penser à un poisson mort. Il refusa la cigarette que je lui proposai. En fait, il insista pour qu'on ouvrît les fenêtres afin de chasser la fumée. Il me donna sa carte de visite et parut contrarié que je n'en aie aucune à lui offrir en échange.

Nous nous sommes lancés dans la série habituelle de questions établissant nos statuts professionnels et matrimoniaux respectifs. Il était ici pour rendre visite à des parents, m'expliqua-t-il, et pour étudier l'architecture traditionnelle de Tana Toraja. Son drame, c'était d'adorer les bébés mais de détester les enfants. Le résultat logique de ces principes, douze enfants, le chassait de chez lui jusqu'au moment où il était tenté d'en engendrer un autre, qui lui donnait un an ou deux de réconfort, mais, en fin de compte, augmentait sa gêne. Ce voyage pour venir voir des parents n'était qu'un déplacement parmi beaucoup d'autres qui lui permettaient d'échapper à sa prodigieuse descendance.

La route devint soudain beaucoup plus mauvaise —

ou, plus exactement, le chauffeur paraissait désormais viser les nids-de-poule au lieu de les éviter. Verdâtre et en proie aux haut-le-cœur, Bambang se tamponnait la bouche avec des gestes de matrone. Le chauffeur, lui, semblait aux anges et, l'air agressif, crachait des nuages de fumée de cigarette, dont la majeure partie allait dans la figure de Bambang. Johannis regardait par la fenêtre en silence et serrait ses provisions pour les protéger.

« Comment vont les œufs ? » fis-je poliment.

Tout le monde hurla de rire. J'avais involontairement dit ma première blague cochonne. On m'expliqua qu'il fallait s'enquérir des *œufs de poule*, sinon on comprenait que je demandais des nouvelles des organes génitaux des passagers mâles.

Un peu plus tard, nous nous sommes arrêtés près d'un abri rudimentaire et nous avons bu du café, tandis que le chauffeur déchargeait des noix de coco. Il y eut une longue discussion pour savoir si c'étaient ou non les bonnes.

« Regardez, dit le propriétaire. J'ai mis mon nom dessus au stylo-bille. »

J'ai repensé à la grotte de Londa, à la sortie de la ville, où l'on reconnaissait les crânes des morts grâce à leur nom écrit sur les os. Le commerce des noix de coco était étrange. Certains les expédiaient dans les montagnes, et d'autres vers la plaine. Peut-être que c'étaient les mêmes noix de coco qui ne cessaient de monter et de descendre dans le cadre d'une bizarre économie ressemblant au marché des antiquités.

Nous suivions la scène, assis sur un banc grossier. Johannis paraissait troublé.

« Le chauffeur, m'expliqua-t-il, essaie de rendre Bambang malade. Mais, tu vois, Bambang continue ce voyage, même s'il souffre. Il est ridicule, mais pas lâche. C'est le chauffeur qui est stupide. »

Une grosse bûche encore fumante vola soudain au-dessus de nos têtes, interrompant ces considérations sur l'injustice du monde. On entendit alors un ricanement dément.

Une vieille femme, sèche comme une trique, édentée et les cheveux coiffés à la rasta, apparut en chancelant. Elle était vêtue d'une robe déchirée et crasseuse où l'on devinait encore un grand motif floral ; la saleté formait une croûte épaisse sur son visage et sur ses bras ; elle agitait une autre bûche d'un air menaçant. Johannis et moi avons échangé un regard.

« Folle ? demandai-je.

— Folle, sans aucun doute », répondit-il.

Et d'un accord muet, nous nous sommes enfuis à toutes jambes, puis nous l'avons surveillée de l'intérieur de la cabane à travers la fenêtre protégée par du fil de fer.

Elle chanta une chanson en japonais, applaudie par les passagers, et une deuxième, apparemment consacrée à la politique étrangère américaine sous Sukarno. J'avais l'impression de prendre une leçon de géopolitique. Elle enchaîna avec une chanson sur les mœurs sexuelles des actuels dirigeants indonésiens qui provoqua, chez certains hommes, de petits rires bêtes, et chez d'autres des grognements de protestation, et conduisit les femmes à se couvrir le nez en signe de pudeur scandalisée. À moi elle révéla surtout les lacunes de mon vocabulaire.

Quand le chauffeur la chassa, elle se mit à écrire des grossièretés dans la poussière couvrant les flancs du véhicule et à mendier quelques pièces, qu'on lui abandonna avec nervosité.

Le chauffeur s'affala contre son dossier et chuchota, sur le ton de quelqu'un qui révèle un grand secret :

« C'est un professeur rendu fou par son instruction. (Une pause.) Vous êtes professeur ? »

J'ai repensé à Godfrey Butterfield M.A. Il aurait approuvé.

« Quelque chose comme ça. »

Nous sommes repartis dans un crachin qui murmurait

154

dans les arbres. Tana Toraja est l'un des rares endroits où des bananiers prospèrent parmi les pins de montagne. La route recommençait à monter dans les nuages. Il faisait très froid. Nous nous sommes soudain arrêtés sur un plateau lugubre où une chèvre qui broutait une herbe rabougrie nous contempla avec détachement. On a coupé le moteur et le monde est redevenu silencieux ; on n'entendait qu'un bruit d'eau et les mâchonnements de la chèvre. Un jeune homme a sauté à terre et s'est dirigé vers une maison, un peu plus loin — pas une noble construction en bois sculpté, mais une cabane qui semblait faite de bric et de broc. Des femmes en sont sorties, en poussant des gémissements désespérés et en haletant. Brusquement, le jeune garçon a commencé à sangloter lui aussi, tête baissée, et de grosses larmes ont ruisselé sur ses joues. Des passagers sont descendus de l'autocar et se sont étreints, se lamentant dans la brume.

« Il pleure parce que son ami est mort », expliqua le chauffeur.

Apparemment, un ferry avait chaviré entre la Malaisie et Sumatra. Une grande partie de son équipage était toraja, car il est si dur de gagner sa vie dans cette région que celle-ci est une des rares zones de montagne sans débouché sur la mer à produire beaucoup de marins. Beaucoup s'étaient noyés. Le chauffeur et Bambang se sont agglutinés aux autres, sous la pluie. Gêné, j'ai quitté l'autobus à mon tour, mais je suis resté à l'écart ; car je ne voulais pas les déranger dans leur chagrin. J'ai contemplé fixement le paysage détrempé, comme fasciné par la chèvre. Un bras est sorti de la mêlée, a tâtonné sur mon épaule, puis, m'attrapant par le coude, m'a attiré dans leur monde de sentiments partagés. Et moi aussi, j'ai commencé à pleurer.

Je n'ai aucune idée du temps que nous avons passé ainsi sous la pluie. Peut-être dix minutes, peut-être beaucoup plus. Quand nous avons regagné le bus, nous étions tous, d'une certaine manière, absous de nos pêchés et assagis, comme doivent l'être des frères sans jamais y parvenir tout à fait. À présent, le chauffeur évitait les nids-de-poule et ne soufflait plus sa fumée dans les yeux de Bambang. On a parlé de la vie cruelle du marin, comment, de retour d'un long voyage, il se retrouvait dépouillé de son salaire par des parents rapaces. Peu à peu, on a recommencé à rire.

Depuis le sommet d'une colline, nous avons découvert Pangala qui s'étendait dans la vallée. Il nous a fallu une autre demi-heure de tours et de détours le long de la pente pour y arriver. C'était la cité habituelle de baraques en bois, envahie d'écoliers.

« Quand je descendais de la montagne pour venir à l'école ici, dit Johannis, je devais porter un sac de riz sur douze kilomètres pour avoir assez à manger. J'étais fort à l'époque. Après tant d'années en ville, je suis faible. »

Nous avons débarqué dans un café, dans les rafales de pluie. Une fois de plus, des gens sont sortis de la cuisine pour voir cet homme étrange, étrange non parce que j'étais blanc, mais parce que j'avais demandé du café sans sucre. Sur le mur, un préservatif était exposé dans une vitrine comme un trophée : c'était la campagne pour le contrôle des naissances. La chance nous souriait cependant. Un camion partait livrer du ciment pour la construction de la nouvelle école primaire dans le village de Johannis. Nous allions pouvoir acheter notre passage.

Bambang s'est éloigné en flânant, mais beaucoup d'autres passagers sont montés dans le camion, y compris les noix de coco. On avait tendu des cordes à l'arrière, dans le sens de la longueur, et nous nous sommes glissés entre elles ou suspendus à elles comme dans un asile de nuit [1].

« La route est un peu dure », avoua Johannis.

1. Aux États-Unis, dans les établissements pour les immigrants, on disposait, en guise de lit, d'une corde sur laquelle s'appuyer pour dormir. Le matin, le patron dénouait les cordes pour réveiller ses clients. *(N.d.T.)*

D'ailleurs, on ne payait pas le même tarif pour gravir la montagne et pour la descendre. La route n'avait manifestement pas été réparée depuis des années et des flaques profondes nous guettaient dans les endroits les plus difficiles. Le principal problème venait des pneus du camion, si parfaitement lisses qu'ils n'accrochaient nulle part. Là où un poids lourd normal aurait vogué à travers la boue, le nôtre s'arrêtait et patinait désespérément. Là où un poids lourd normal aurait gravi la pente en haletant, le nôtre ne faisait que creuser de grands trous dans la terre avec une odeur de caoutchouc brûlé.

Chaque fois que nous nous enlisions, la procédure était identique. Au début, nous restions assis, serrés les uns contre les autres, et nous feignions de ne pas avoir remarqué le problème.

« *Turun! Dorong!* criait alors le chauffeur. Descendez et poussez! »

Nous nous laissions glisser au sol et nous restions là à tourner en rond. Nous regardions ceux qui poussaient. Puis, quand il y avait presque assez de gens qui bataillaient pour nous sortir de là, tout le monde s'y mettait, et à ce moment-là la moitié des pousseurs du début s'arrêtait. Sortir un camion de la boue est un sujet sur lequel chacun a une théorie.

« Des planches! dit un homme d'un ton résolu. Ce qu'il nous faut, c'est des planches.

— Mais vous ne pensez pas que si les pneus étaient...

— Non. Des planches! »

Quelques-uns étaient persuadés que le mieux était de pelleter la boue de devant le camion et de la jeter sous les roues arrière La majeure partie de ladite boue finissait collée sur les pousseurs. Certains glissaient de l'herbe et des feuilles sous les roues, et le tout était retiré avec empressement par ceux qui défendaient une conviction différente. D'autres encore plaçaient toute leur confiance dans les pierres. Seules les pierres donneraient un résultat et ils les arrachaient à la route, courant un risque fou en les poussant avec leurs pieds nus sous les roues qui tournoyaient. Un vieil homme dénoua les cordes avec un soin laborieux et commença à tirer à l'avant en un geste héroïque et solitaire. Johannis s'assit et fuma une cigarette tout en plaisantant avec les filles. Alors que tout espoir semblait perdu, un homme passa sans se presser avec un énorme buffle conduit par un garçon minuscule. L'enfant attela tranquillement l'animal à l'avant du camion et il nous sortit de la boue avec une facilité méprisante. Une voix nous parvint de l'arrière.

« Ça aurait été plus facile avec des planches.

— Je croyais que les Torajas ne faisaient jamais travailler les buffles, dis-je à Johannis.

— Celui-là, déclara-t-il, c'est un buffle esclave. Regarde sa couleur. »

Les anthropologues sont nourris de livres sur les Nuers, un peuple du Soudan obsédé par le bétail et sa beauté qui a développé un vocabulaire complexe de couleurs et de motifs pour décrire ses bêtes. Je venais de prendre ma première leçon sur une monomanie similaire des Torajas, une série apparemment illimitée de termes indiquant la taille, la couleur et les taches des buffles, les formes de leurs cornes. Ce fut la même chose, plus tard, lorsque j'ai travaillé avec leurs sculpteurs — ils possédaient des distinctions infinies pour des motifs que j'aurais classés comme identiques.

Fatigué par cette lexicographie abstraite, Johannis en vint à un sujet autrement plus terre à terre. Le chauffeur ne devait-il pas nous faire une réduction pour la grande distance que nous avions parcourue à pied, alors que pendant tout ce temps il aurait dû nous transporter dans son camion ? Et même, n'était-ce pas à *lui* de *nous* payer, puisque c'était uniquement parce que nous avions poussé qu'il pouvait livrer son ciment ? Le chauffeur, il faut le reconnaître, saisit la force de l'argument de Johannis. Il la perçut en vérité si intensément comme une menace à son gagne-pain que Johannis et moi nous retrouvâmes éjectés du camion et condamnés à rejoindre le village à pied.

«Cet homme, déclara Johannis, est un ennemi de ma famille. C'est un descendant d'esclaves.

— Je croyais que toutes ces classes sociales, d'or, de bronze, de fer, etc., n'existaient que dans les royaumes du Sud.

— Peut-être, dit Johannis avec mauvaise humeur, mais nous savons reconnaître un esclave quand nous en voyons un, même si nous ne sommes plus censés utiliser le mot.»

C'était bien la première fois que je me faisais des ennemis avant même d'atteindre le site d'un travail de terrain... J'ai commencé à me demander si Johannis n'était pas un peu trop malin pour être mon assistant, car je venais de comprendre qu'il l'était devenu.

La maison de Johannis était une bâtisse moderne inspirée des bungalows bugis de la côte. Dressée sur pilotis pour atténuer la chaleur torride de ces régions, elle devait être terriblement froide la nuit. Nous nous sommes arrêtés pour ôter nos chaussures tandis qu'un chien aboyait, puis nous avons grimpé à l'échelle jusqu'à la porte d'entrée, où je me suis cogné la tête au linteau pour le plus grand plaisir de tout le monde. La vie d'un Occidental, en Indonésie, se résume à une série de coups sur le crâne. Le pays tout entier est construit sur le principe que personne ne dépasse un mètre soixante-cinq. La seule fois où j'ai vraiment détesté les Indonésiens fut le jour où je me suis presque assommé. Quand la brume de la douleur s'estompe, vous ouvrez les yeux et vous découvrez un groupe de visages bruns en train de rire de vous avec une joie extatique. Généralement, quelqu'un vous explique

159

alors que vous vous êtes cogné parce que vous êtes trop grand.

La mère de Johannis avait dû être belle dans sa jeunesse ; ses traits délicats et sa grâce naturelle transparaissaient encore malgré ses vêtements déchirés et son visage usé par les soucis. On comprenait immédiatement que c'était aussi une femme très pieuse. Un étrange cocktail de symboles religieux décorait la maison. Sur un mur trônaient les photos obligatoires du président et du vice-président, flanquées de celles de la navette spatiale et d'une reproduction de la Cène, une version visiblement inspirée de Léonard de Vinci, mais où les disciples avaient d'immenses yeux bleus et fixes qui leur donnaient des airs de déments. Puis venait une image plus ou moins biblique mettant en scène des moutons et des enfants. Le calendrier de l'année précédente montrait des pin-up musulmanes, des dames enveloppées d'amples vêtements sur fond de mosquées et de textes sacrés. Celui de cette année proposait des Chinoises à moitié nues dont les avantages étaient en grande partie censurés par un miroir placé là où il fallait.

Il s'écoula un moment avant que quelqu'un ne prît la peine de me présenter le père de Johannis, un homme fatigué, parcheminé, avec l'expression aigrie de quelqu'un qui est habitué à se voir traiter en public comme quantité négligeable. Johannis et sa mère se lancèrent dans un long compte rendu de ses méfaits et de ses péchés involontaires ou non. Il semblait boire, fainéanter, manquer l'église. J'échangeais avec lui des regards de muette sympathie.

De la cuisine nous parvenaient des bruits métalliques et des bouffées de fumée de feu de bois. Divers parents voûtés entraient et sortaient dans la position courbée marquant le respect pour un invité. On nous servit dans des verres un café d'une douceur écœurante, tandis que la mère passait à l'indonésien pour énumérer ses nombreux malheurs : sa pauvreté, sa mauvaise jambe, son bon à rien de mari, ses fils irresponsables, la pénurie d'oignons dans le village. Les Torajas qui n'ont pas fréquenté l'école ont du mal à prononcer le *ch* et certains groupes consonantiques de l'indonésien, si bien que *kecil,* «petit», devient *ketil,* et *pergi,* «aller», *piggi.* Cela donne à leur discours une étrange affectation zézayante à la Shirley Temple.

«Nous sommes vieux, conclut-elle. Nous n'avons pas d'espoir. Tous les garçons nous ont quittés pour partir en ville. Nous prions pour avoir une bonne mort, si Dieu nous montre la voie.»

C'était un discours de bienvenue déprimant et Johannis commençait déjà à se montrer ronchon, comme tout jeune ambitieux qui a honte de ses parents.

D'autres personnes arrivèrent, un cousin, un demi-frère. On servit aux hommes un plat de riz et de piment et — c'était absurde — nous dûmes nous allonger sur des matelas déployés au milieu de la pièce, tandis que les activités féminines de la maison faisaient rage autour de nous.

Peu à peu, il devint clair que la journée était considérée comme pratiquement terminée alors que c'était à peine la fin de l'après-midi. À la tombée de la nuit, un voisin aux yeux brillants vint allumer la lampe à pétrole, un ustensile complexe et sous pression que personne ne maîtrisait dans la maison. Lui aussi nous rejoignit dans le grand lit central et il nous fallut empiler sur nous de plus en plus de couvertures pour nous protéger du froid pénétrant. Une étrange moisissure les faisaient luire dans le noir. Finalement, nous avons ôté la carpette du sol et l'avons ajoutée à notre tas. Non sans fierté, je sortis alors ma bouillotte. Il faut vraiment être un vieux routier pour emporter ce genre de chose sous les tropiques. Elle connut un succès immédiat. Des pieds tâtonnèrent maladroitement à sa recherche. Johannis lui-même fut impressionné.

« J'espère que tu me la laisseras quand tu rentreras chez toi. »

La nuit est venue et nous sommes tous restés éveillés à nous raconter des histoires, les yeux brillants, excités comme des gosses en camping. Quelqu'un parla d'un magicien bugi qu'il avait vu à Ujungpandang.

« Il a dressé une lance et il a mis un melon sur sa pointe. Le melon est tombé, fendu en deux. Puis il a pris ce petit garçon qui devait avoir cinq ou six ans, il l'a posé en équilibre au bout de la lance sur son nombril et il l'a fait tourner. On s'est tous couvert le visage en s'attendant à du sang. Mais il était indemne.

— Wouah !

— Ce n'est rien, dit Johannis. Je connais ces Chinoises, deux sœurs. Tu écris n'importe quoi sur un morceau de papier, tu le déchires, tu le mets dans une boîte d'allumettes. Elles la tiennent sous leurs aisselles comme ça (il serra ses bras contre son corps) et elles peuvent te dire ce que tu as écrit.

— Wouah ! »

Leurs yeux se tournèrent vers moi en une interrogation muette. Ils avaient là un étranger exotique, quelqu'un qui avait vu les merveilles du monde. Qui savait ce que j'allais inventer ?

« Une fois, dis-je, j'ai rencontré un homme en Afrique qui pouvait commander à la pluie.

— Aucun intérêt ! Oui, nous avons ça aussi, firent-ils avec l'air de s'ennuyer.

— J'ai vécu avec des gens qui coupaient des têtes et les collectionnaient.

— Oh ! nous faisions ça nous aussi. Et alors ?

— Un jour, je suis allé chasser des lions avec juste une lance.

— Je suppose que c'est pareil pour nous avec les buffles nains qui vivent dans la forêt, à part que les buffles doivent être encore plus dangereux… »

162

Ils se tournaient déjà sur le côté pour dormir. Il était temps de sortir l'artillerie lourde. J'ai tiré ma carte bancaire de ma poche arrière.

«Ça, déclarai-je, c'est comme de l'argent.»

Ils s'assirent pour l'examiner à la lueur vacillante de la lampe, faisant jouer ses rayons sur l'image holographique. Elle passa solennellement de main en main.

«Dans mon pays, il y a des machines dans les murs. On met des cartes comme ça dedans, on tape un nombre, et la machine vous donne de l'argent.

— Wouah! Wouah! Wouah!»

Ils me la rendirent avec précaution et nous nous installâmes pour dormir.

J'ai rêvé de lances et de sorciers chinois. Eux, je ne sais pas.

Un anthropologue est probablement le pire des invités imaginables. Je n'en voudrais pas chez moi. Il arrive sans en avoir été prié, il s'installe sans y être convié et il harcèle ses hôtes de questions stupides jusqu'à les rendre fous. Au départ, il n'aura qu'une vague idée de ce qu'il cherche. Comment, après tout, saisir l'essence d'un mode de vie étranger? Les anthropologues ne sont même pas d'accord entre eux sur le genre de proie qu'ils poursuivent. La découvre-t-on dans la tête des gens, dans les faits concrets de la réalité extérieure, dans les deux, ou dans ni l'un ni l'autre? Certains considèrent aussi que la majeure partie des «connaissances» anthropologiques est une fiction fabriquée quelque part entre l'observateur et l'observé, et qu'elle dépend de rapports de pouvoir inégaux entre eux. La réponse presque inévitable, c'est de foncer, en attendant d'analyser plus tard ce qu'on a fait.

Dans mon cas, il était facile de décider par où commencer. Johannis annonça que nous allions partir ce matin même pour une fête *ma'nene'*. Son grand-père nous accompagnerait là-bas. C'était à cinq ou six kilomètres.

Et, en effet, un vieux monsieur très calme était assis dans la cuisine. Il mâchait un morceau de manioc bouilli. À côté de lui il y avait une lance dont la lame était protégée par un fourreau. Il eut un petit rire amical en me voyant et me proposa un morceau de son manioc, qu'il glissa ensuite dans sa poche pour le finir plus tard.

Le village tout entier semblait en mouvement. Du haut des maisons, les enfants se penchaient pour me regarder passer. Comme ils n'arrivaient pas à articuler *Belanda,* «Hollandais», ils criaient *Bandala!*, «boîte!». Un flot de gens, presque tous habillés en noir, la couleur de la mort, sortait des maisons. Ici aussi, les fêtes torajas étaient divisées entre celles de l'ouest, dites de la «fumée descendante» — les fêtes de la mort —, et celles de l'est, de la «fumée montante» — les fêtes de la vie. Le rituel toraja semble totalement déséquilibré, car il insiste beaucoup plus sur la mort que sur la vie. Cela, cependant, peut très bien venir de l'influence des missionnaires qui ont supprimé les rites de la fertilité relativement licencieux, ne laissant que ceux de la mort, désormais aussi incongrus qu'une baleine échouée sur une plage. Les diverses formes de christianisme sont parvenues à des compromis différents avec les anciennes coutumes. Certaines Églises exigent de leurs fidèles qu'ils ne participent pas à tel ou tel moment des fêtes de la mort et ne mangent pas le buffle du sacrifice. D'autres leur demandent d'offrir le buffle à l'Église. D'autres encore ne se soucient que des effigies de tombe — un chrétien ne doit pas en avoir, un point c'est tout. Et il y en a qui autorisent une effigie tant qu'on la considère comme un simple monument commémoratif.

Partout on échangeait des salutations et on riait. Le grand-père de Johannis gardait ses distances, avec l'expression solennelle d'un maître d'hôtel assistant à une orgie.

«Je ne parle pas beaucoup l'indonésien, expliqua-t-il,

mais je veux que vous sachiez que dans ce village je représente la vieille religion. Aujourd'hui, ces gens sont chrétiens, mais ils doivent toujours tenir compte de ce que je dis. J'ai déclaré *ma'nene'*. On ne peut plus cultiver les champs ni construire de maisons tant que je ne l'aurai pas autorisé. Même les chrétiens respectent ça. »

Je me tournai vers Johannis.

« Tu es chrétien, toi aussi ?

— Oui, je suis protestant comme toi, mais pour nous, les jeunes, c'est moins important. Nous avons… (il chercha ses mots)… des pensées plus larges que les gens de la génération de Nenek. »

Nenek grommela.

« Quand j'étais jeune, j'étais pareil. Quand j'ai voulu commencer à apprendre la religion, l'ancienne poésie, ils m'ont tous supplié de ne pas le faire. Ils disaient que je serais toujours pauvre. Ils avaient raison, mais il y a des choses plus importantes. Lui aussi, il apprendra. Il n'est pas stupide. »

Au sommet d'une colline se dressait une église blanchie à la chaux et coiffée d'un clocher à la mode tyrolienne. Au-delà s'étendaient, rang après rang, d'inquiétantes montagnes violettes dépourvues de tout signe d'occupation humaine. Par une brèche dans les nuages, un ciel digne de l'Ancien Testament déversait de la lumière sur le toit. On aurait dit l'église la plus solitaire du monde. Tandis que nous la longions, le vieil homme déversait un flot d'observations et d'interprétations avec l'aisance d'un commentateur sportif : histoire, mythes, souvenirs personnels. De nombreuses cultures ont des experts qui font autorité — leurs propres anthropologues indigènes — et qui, du coup, occupent parfois une place de premier plan dans la littérature sur le sujet. Leurs noms sont connus par des générations d'étudiants. Je n'en avais jamais rencontré, mais manifestement Nenek en était un. J'avais un assistant. Mon informateur spécialiste venait d'apparaître. Même si je n'étais ici que pour un temps dérisoirement bref, il m'était désormais impossible de ne pas me mettre au travail. Avec quelque chose qui tenait du gémissement, je sortis un carnet et commençai à tout noter.

Une foule considérable s'était rassemblée au pied d'une falaise à pic dont la paroi était grêlée d'ouvertures carrées : les tombes où étaient conservés les os des morts. Contrairement à d'autres régions de Tana Toraja, aucun personnage en bois, ici, ne représentait le défunt ; chaque tombe était simplement scellée par un panneau où était sculptée une tête de buffle. Dans le passé, affirma Johannis, de telles effigies avaient existé, mais désormais elles avaient toutes disparu. À cette fête, les os des morts récents étaient enveloppés dans de nouveaux tissus puis replacés dans les tombes. Un homme était descendu en ville exprès pour acheter les étoffes. Curieusement, elles étaient de couleurs criardes avec des dessins de Mickey Mouse et de Donald Duck.

J'avais espéré me faufiler sans être remarqué, me glisser sans bruit dans un coin et prendre la pose du voyeur de l'ethnographie. Mais il ne devait pas en être ainsi. Nenek était un artiste. C'était son grand jour, et il avait décidé d'en profiter au maximum. Nous nous sommes approchés à travers un épais sous-bois, invisibles à la foule. Nenek a disparu derrière un rocher un peu en dehors du cercle des participants ; il y a eu une série de froissements et de grognements, puis il a appelé Johannis à la rescousse d'un ton grincheux. Quelques minutes plus tard, il a fait sa réapparition : il était transformé, vêtu d'un pantalon court et d'une chemise à manches courtes, le tout rayé de rouge. Ça m'a rappelé un exercice de mon manuel d'indonésien : « La chenille s'est métamorphosée en papillon. » Avec un sourire radieux, Nenek s'est débattu avec la fermeture de son collier, un lourd objet

166

qui ressemblait à un chapelet de rouleaux de papier toilette plaqués or. Par-dessus, Johannis a étalé une rangée de défenses de sangliers qui se sont débrouillées pour piquer les oreilles de Nenek. Le vieil homme a alors ajusté ses bracelets en or, des serpents qui se tordaient sur ses bras, puis il a cherché sa lance d'un air affolé. M'agrippant comme un simple accessoire de plus, il a sauté au milieu des villageois stupéfaits et il s'est lancé dans un long discours ; il me piquait de temps en temps avec sa lance pour illustrer une remarque. Johannis avait posé une main rassurante sur mon épaule ; il n'avait pas l'air de savoir s'il devait être fier ou avoir honte de son vieux parent.

« Il explique qui tu es, un célèbre touriste hollandais, et il dit que tu es ici pour nous honorer et honorer les vieilles coutumes. »

Parfois, sa voix s'élevait et prenait un rythme qui ne pouvait être que la marque de la poésie, même pour un étranger.

« C'est du *to minaa*, la langue de l'ancien temps, me chuchota Johannis. Je ne peux pas traduire mais — wouah, c'est beau ! »

Quand il eut terminé, Nenek se planta sur un rocher au centre de l'espace découvert, et, tenant sa lance au creux de ses bras d'un air ronchon et dominateur, il surveilla le travail, montrant du doigt et réprimandant les uns et les autres.

Pour accéder aux tombes, il fallait grimper jusqu'à une vingtaine de mètres de hauteur sur des mâts de bambou entaillés et manipuler les cadavres dans l'étroite ouverture des tombes. Plusieurs marins de notre autobus semblaient chargés de cette tâche et ils m'ont salué comme un vieil ami. Est-ce que j'avais envie de monter avec eux ? Non ? Alors, je voulais peut-être manger ? En tant que chrétiens, ils n'avaient pas vraiment le droit de consommer un buffle sacrifié devant les tombes mais…

Nous nous sommes installés pour le repas à l'ombre d'un grand arbre.

« Pas de riz, expliquèrent-ils, à cause de la mort. Nous ne prenons que du manioc, et du buffle. »

Le buffle était dur et tendineux, avec un épais tégument de graisse et de peau. Chaque morceau ressemblait à une limace bouillie. Le soleil était haut et il faisait très chaud. Une agréable odeur de feu de bois, de graisse de buffle et d'humanité chaleureuse flottait autour des tombes, au milieu des bourdonnements somnolents des mouches qui se régalaient du sang frais. Johannis était chargé de hisser un corps prêt à être replacé dans sa tombe ; il se tenait debout dans le soleil ; il souriait et il passait ses doigts dans ses épais cheveux noirs pour se rafraîchir.

Nenek recommença à crier et une tête apparut dans l'ouverture de la tombe. L'homme laissa filer une corde qui serait attachée au cadavre. La situation offrit l'occasion d'un amusement plutôt déplacé. Passer la corde autour du ballot d'étoffe et d'os donna lieu à beaucoup d'humour turbulent. Au moment où celui-ci s'élevait, Johannis sauta dessus à califourchon comme un dompteur de cheval sauvage et poussa une série de cris repris en chœur par les autres jeunes gens jusqu'à ce que Nenek tremblât à force de remontrances et de colère.

Un cercle d'hommes se forma en dessous et se lança dans une lente psalmodie mortuaire, la main dans la main en une imperturbable rotation dans le sens contraire des aiguilles d'une montre. On appela les enfants, et leurs pères et leurs frères leur apprirent doucement à danser sur les anciens rythmes. Sur un signal de Nenek les femmes entrèrent à leur tour dans le cercle, leur chant répondant à celui des hommes — un chant de mort, mais où les dames eurent tôt fait de présenter leurs meilleurs profils et d'exhiber leur parfaite dentition. Nenek hochait la tête d'un air approbateur, sa main battant le rythme de cette obsédante mélodie. Cela ne ressemblait guère à une société déchirée par un changement religieux.

L'un des marins suggéra qu'il serait poli de rencontrer l'organisateur de la fête. On me conduisit jusqu'à un groupe qui se tenait autour d'un chaudron d'eau fumante.

«Voici le chef», dit-il en tapotant un homme sur l'épaule.

Il se retourna. C'était Hitler.

«Ah! dit Hitler, je connais déjà ce gentleman.»

Je me mis aussitôt à réfléchir à des excuses et des explications, mais c'était inutile, semblait-il. En fait, ce fut lui qui tenta de se justifier.

«Il y a eu un problème pour cet objet, chuchota-t-il. Je ne l'ai plus. La police l'a confisqué. Mais j'espère en avoir un autre d'ici peu, et je vous contacterai à nouveau.»

Retenant mon souffle, je l'ai assuré que j'attendrais sa visite, puis je suis retourné à ma place en transpirant abondamment.

Une dame assez corpulente semblait digne d'une attention particulière car, malgré la forte chaleur, elle portait un épais manteau de fourrure et me saluait de la main comme un vieil ami.

«Qui est-ce?» demandai-je aux marins.

Ils pouffèrent.

— C'est «Tatie Hollande». Elle vit à Leyde et elle a fait tout le chemin pour assister à cette fête. Elle porte son manteau de chien pour montrer qu'elle est devenue riche dans ton pays.»

Remarquant que nous parlions d'elle, elle quitta son groupe pour se joindre à nous et me salua en hollandais.

«Désolé, lui répondis-je en indonésien, je ne suis pas exactement hollandais, mais anglais.

— Aucune importance! assura-t-elle. Vous êtes un Occidental comme moi. Je vis là-bas maintenant, vous savez. Regardez comme ma peau est devenue claire. Je souffre tant quand je viens à Tana Toraja. La chaleur, la saleté. En Hollande, nous allons partout en taxi. »

Johannis apparut derrière elle, peu disposé à supporter sa prétention.

« Ah. Je me souviens de vous. Vous vendiez des nouilles près du marché. »

Il se racla la gorge et cracha par terre.

Si les regards pouvaient tuer, Johannis serait tombé raide mort sur-le-champ. Tatie Hollande ramena son manteau autour de ses épaules trempées de sueur et s'éloigna à grands pas. C'était téméraire de sa part. Malgré ses talons hauts inadaptés au sol caillouteux, elle voulut absolument couvrir sa retraite en se retournant pour m'adresser un sourire mièvre et un dernier geste de la main. Elle était là, attirant nos regards par son affectation pathétique qui, je ne sais trop pourquoi, *me* faisait honte. Et l'instant d'après, elle avait disparu : elle avait plongé par-dessus la corniche et était tombée sur les danseurs en contrebas. Personne, heureusement, ne fut blessé. Je la revis plus tard assise sous un arbre, éventée par un enfant avec une feuille de bananier, toujours vêtue de sa fourrure et demandant comment s'appelaient les choses car, comme elle ne cessait de l'expliquer, elle parlait si souvent le hollandais qu'elle avait presque tout oublié du toraja.

Tout au long de la journée, un nombre considérable de corps fut enveloppé et replacé dans les tombes. Le lendemain, Nenek sacrifierait un poulet et déclarerait la fête terminée. Les gens retourneraient alors aux cultures et à la construction de maisons, des activités associées à la vie. Il faisait presque nuit maintenant et il était temps de rentrer au village.

Tatie Hollande rassembla sa famille et partit dans une direction. Nenek, Johannis, un groupe de voisins et moi en prîmes une autre. Un homme assez jeune, qui tenait

son fils par la main, m'invita dans un excellent indonésien, presque aristocratique, à visiter sa maison toute
proche. C'était un beau bâtiment ancien, abondamment
sculpté et décoré dans le style local.

« C'est ma demeure, m'annonça-t-il avec une fierté évidente. Cette propriété appartient à ma famille depuis des
générations. Et voici mes champs. Mon grand-père les
cultivait quand j'étais enfant. Maintenant, je les cultive à
mon tour. »

Nenek s'impatientait. Il voulait rejoindre son bout du
village avant la nuit, mais l'homme, qui se présenta sous
le nom d'Andareus, imposa en douceur son hospitalité.

À l'intérieur, la tradition avait passé des compromis
avec le monde moderne, comme dans toutes les maisons
torajas que j'avais vues. Une grosse radiocassette se dressait dans un coin, menaçante, près d'un buffet hideux
sculpté de motifs torajas traditionnels, mais laqué.
Néanmoins, c'était toujours une vieille maison où l'on
avait préservé les anciens modèles de générosité. Andareus
indiqua la fenêtre du doigt.

« Ma mère insiste pour que j'installe une salle de bains
moderne et que je pose une chape de ciment sous le bâtiment, mais je lui dis que c'est mieux de se baigner dans
le ruisseau et que nous devons respecter une habitation
ancestrale. Sinon, c'est comme une vieille femme avec des
vêtements d'entraîneuse. »

Nous avons bu du café et grignoté les gâteaux spéciaux
au sucre de palme qui sont le gage de l'hospitalité toraja.
Le fils et le père portaient, tous les deux, des sarongs noirs
et non les shorts désormais presque omniprésents dans
cette région. Cela faisait du bien de rencontrer un homme
qui semblait avoir été capable de résister à la plupart des
mauvais côtés du monde moderne, un homme charmant
et intelligent qui paraissait satisfait de rester dans ce village isolé et de cultiver son jardin.

Mais c'étaient là mes catégories intellectuelles plutôt que les siennes.

« Où avez-vous appris un aussi bon indonésien ? demandai-je. Vous êtes enseignant ? »

Il sourit et passa avec désinvolture à l'américain idiomatique.

« Je suppose que c'est surtout au Massachusetts Institute of Technology, confia-t-il, quand j'ai dû terminer ma maîtrise sur les communications par satellite. Avant de bien connaître l'anglais, j'ai suivi des cours intensifs dans ma propre langue nationale. (Il sourit de nouveau et donna un coup de coude affectueux à son fils.) Lui, ses langues maternelles sont l'anglais et l'indonésien, mais quand nous venons ici, il ne peut pas parler avec sa grand-mère. Il s'ennuie beaucoup. Là où je travaille, à Kalimantan[1], on a une piscine et un magnétoscope. Ça lui manque. Nous ne sommes ici que pour la fête, pour réenvelopper le corps de mon père. Il trouve que c'est se donner beaucoup de peine pour un macchabée. »

Ma déception a dû être évidente. Les Occidentaux ont une tendance inhérente à se servir du reste du monde pour réfléchir à leurs propres problèmes. Andareus n'était pas un « bon sauvage » stigmatisant les défauts de notre civilisation. Il était plutôt plus moderne que moi : il parlait couramment le jargon de l'informatique et de l'électronique. Ses valeurs étaient probablement très proches des miennes, et son attachement au monde traditionnel aussi extérieur que le mien. Il le considérait depuis le confort d'un bungalow moderne et climatisé de Kalimantan, juste par romantisme peut-être. Son implacable lucidité sur lui-même me retournait le couteau dans la plaie.

« Vous voyez. Ce n'est qu'en partant à l'étranger que j'ai appris à apprécier nos anciennes coutumes. Si j'étais

1. La partie indonésienne de Bornéo. *(N.d.T.)*

resté dans mon village, j'aurais pensé à l'Amérique comme au paradis. Je reviens donc pour les fêtes. Depuis des années, nous quittons les montagnes pour gagner notre vie, mais nous rentrons toujours ici pour dépenser l'argent dans les fêtes. (Il indiqua son fils.) Celui-là est différent. Il connaît peu de choses de l'ancien temps. Il a grandi à l'étranger. Il n'est pas toraja. Il est l'Indonésie moderne. »

L'Indonésie moderne nous observait avec sérénité en se grattant une piqûre de moustique.

Nous avons repris la direction du village dans la nuit qui tombait. Une fine poussière formait une couche tendre sous nos pieds, comme le sable d'une plage tropicale. Nenek marchait devant à une allure que Johannis et moi avions du mal à suivre. Dans un virage qui dominait une gorge spectaculaire, nous croisâmes un homme enveloppé dans une couverture bleue. Il ne mesurait qu'un mètre cinquante, mais exhibait une moustache magnifique. Avec un sourire joyeux, il me serra la main. Ne sachant trop comment me montrer amical, j'admirai le buffle qu'il gardait, selon le principe que si vous devenez l'ami du chien, vous devenez aussi celui du maître.

« Voici comment je passe mon temps, déclara-t-il, je m'occupe de mon bétail.

— Vous avez beaucoup de buffles ?

— Juste un.

— Comment peut-on mettre toute une journée à s'occuper d'un seul buffle ? »

Nenek éclata de rire et, dans un geste que j'allais apprendre à bien connaître, tendit sa main fermée vers moi — la manière polie d'indiquer quelqu'un —, hilare.

« Le nombre n'a rien à voir avec ça. C'est comme un jeune homme qui a beaucoup de cheveux. Il se passe juste la main dedans et il est coiffé. Quand il vieillit, il a moins de cheveux et il lui faut de plus en plus de temps pour les arranger. C'est pareil avec les buffles. »

L'autre homme riait aussi. En fait, ils avaient tous deux, comme la plupart des Torajas, une chevelure scandaleusement abondante.

« Si j'avais davantage de buffles, dit-il, je serais un seigneur-chat.

— Qu'est-ce qu'un seigneur-chat ?

— C'est une race de chat qui ne quitte jamais une maison. Ils ne descendent jamais au sol. Ils auraient peur.

— À quoi ressemblent-ils ?

— Aux autres chats, à part qu'ils restent à l'intérieur, sauf si leur maître les porte dans le grenier à riz pour tuer des souris. »

Nous avons continué à parler de cet animal jusqu'au pont. Comme beaucoup de ponts torajas, celui-ci avait un toit et des sièges incorporés. Les ponts sont un lieu idéal où bavarder les jours de pluie. L'homme au buffle m'apprit que l'on attendait d'un seigneur-chat qu'il gardât les biens de famille conservés dans les chevrons des habitations nobles et les greniers qui leur font face. Ils ne pouvaient s'accoupler qu'avec d'autres seigneurs-chats apportés à la maison dans ce but par leurs maîtres respectifs. Une fois encore, les Torajas utilisaient les animaux pour évoquer leur système de classes. Les chats, avec leurs biens familiaux et leur mode restreint d'accouplement, avaient pour modèle les familles nobles et leur servaient eux-mêmes de modèles.

Nous nous sommes séparés pour rejoindre tranquillement nos maisons, mais la pluie a réussi à nous surprendre sur cette distance relativement courte. En arrivant, nous étions trempés et frissonnants. C'était le moment d'ouvrir la bouteille de whisky King Adam cachée dans mes bagages. L'appellation « whisky » était un terme d'une générosité inappropriée ou d'une extrême ironie : en fait, il s'agissait d'alcool de riz coloré avec du caramel. Nenek l'étudia d'un air dubitatif.

174

« Ça fait du bien quand on a froid comme maintenant, un peu comme un médicament, expliquai-je.

— Médicament ? »

Il me prit au mot : bientôt, il sirotait l'alcool avec plaisir, mais dans une cuillère à café qu'il avait fait chercher à la cuisine. Le père de Johannis entra en toussant, jeta un regard plein d'espoir à la bouteille et se prépara à y goûter, mais sa femme apparut et le fixa d'un air vertueux depuis la porte. Déconfit, il reposa le verre sur la table.

« Je ne bois pas d'alcool, annonça-t-il d'un ton hésitant.

— Ceci, dit Nenek, me rend fort. Venez chez moi demain pour que nous parlions. Johannis vous conduira.

— À quelle heure ? »

Il me regarda avec pitié.

« Je n'ai pas de montre. Venez, c'est tout. »

Il rassembla ses accessoires et se pencha au-dessus du balcon pour se moucher d'un doigt, avec une belle dextérité. Arrivé à la porte, il traîna des pieds un instant dans ses sandales en plastique, puis se retourna et m'adressa un sourire malicieux.

« Ce médicament, dit-il avec courtoisie, pourrais-je en emporter le reste ? Il semble vraiment me faire du bien. »

Puis il s'éloigna à petits pas dans le crépuscule.

Le moment me sembla approprié pour aborder un sujet délicat.

« Où se trouve l'endroit pour les "commissions" ? » demandai-je.

Johannis fit un geste vague.

« Nous nous servons des bananiers là-bas pour la petite commission. Pour la grosse, c'est un peu difficile ici. Il faut aller dans un des ruisseaux.

— Où vous lavez-vous ?

— Près du pont. Il fait trop froid pour se laver.

— Tu me montreras où c'est ? »

Il grommela gentiment et finit par soupirer :

175

« Je vais venir avec toi. Il faut emporter un sarong. J'ai volé des petites savonnettes à l'hôtel. »

Une salle de bains toraja est une merveille. C'est un simple enclos de pierres où de l'eau fraîche de la montagne jaillit d'un tuyau en bambou. On pose un sarong sur un bâton fixé en travers de l'entrée pour protéger la pudeur. Ce système fonctionne bien pour les gens d'environ un mètre cinquante. Au-dessus de cette taille, on voit tout. Cependant, dans la mesure où il faisait nuit, ça n'était pas gênant. Johannis pressa un petit savon dans ma main. Nous nous relayâmes sous l'eau tumultueuse. Il avait raison. Elle était vraiment glacée, mais ça faisait un bien fou. Nous avions cependant tous les deux le même problème avec le savon : il refusait obstinément de mousser. L'eau devait être très dure. Ce n'est que de retour à la maison, à la lueur de la lampe à paraffine, que nous avons compris pourquoi. Ce n'était pas du savon qu'il avait volé mais de petites barres de chocolat. Nous en étions tout barbouillés.

Dans un village indonésien, le matin arrive avec une intensité dramatique qui en devient presque comique. Cela commence avec les coqs. Ils se pavanent avec arrogance, jettent des défis fastidieux à la face du monde et grattent de leurs griffes les toits de tôle ondulée. Les chiens s'en mêlent, puis les ânes, les chevaux, les chats, les pigeons et les enfants. Tous hurlent, claironnent et produisent un féroce boucan qui vous arrache à votre lit. Puis vient le broyage du riz, l'impitoyable battement sourd du pilon sur le mortier qui fait trembler toute la maison jusqu'à ce que vous vous sentiez nauséeux. L'inévitable lecteur de cassettes ajoute la touche finale, diffusant sans fin les six mêmes rengaines, tandis que tous ceux qui ne sont pas en train de piler du riz se raclent bruyamment la gorge, encombrée de glaires, et se mouchent avec nonchalance.

Puis il y a la longue période où les gens titubent à des degrés divers de détresse physique, attrapent en tâtonnant la première et urgente cigarette, s'aspergent d'eau froide avec des halètements de noyés et de grandes expectorations; d'autres errent dans la maison, déconcertés, tout en rajustant constamment leurs sarongs et en aspirant de l'air entre les dents, secoués de frissons, les bras serrés autour du corps.

Partout dans le village, des gens sont accroupis dans des coins, l'air pitoyable, et discutent de la température. Ils se blottissent autour du feu dont les braises ont été tisonnées au grand déplaisir du chat qui, invariablement, dort là. Le supplice ne connaît de fin que lorsque le soleil repousse enfin le froid et redonne vie au village. Comme l'été en Angleterre, le froid matinal semble toujours stupéfier tout le monde, mais personne n'essaie de s'y préparer. On admirait beaucoup ma couverture de Mamasa, et, cependant, aucun habitant n'avait pris la peine d'en acquérir une pour son propre usage; ici, en outre, on ne tissait plus. Le matin, on évoquait souvent une maison hollandaise qui se dressait jadis dans le village et qui possédait un poêle. Quand il faisait vraiment froid, les gens s'y réfugiaient. Hélas, un glissement de terrain l'avait détruite.

Après un repas de restes réchauffés et de café sucré, nous nous sommes mis en route. Le soleil était déjà haut et Johannis était certain que nous trouverions Nenek enfoncé jusqu'aux cuisses dans la boue, à labourer sa rizière. Nous avons fait un peu de tourisme sur la route aux pavés brisés qui grimpait vers la forêt et les cimes. Johannis m'indiqua un bloc rocheux qui s'élevait verticalement depuis le fond de la vallée.

«C'est le fort de Pong Tiku», expliqua-t-il.

Il s'agissait, je le savais, du chef toraja qui s'était opposé aux Hollandais lors de leur invasion de la région, en 1906 Il avait été vaincu après un long siège.

« Que lui est-il arrivé ?

— Les Hollandais l'ont emmené à Rantepao et ils l'ont fusillé. (Une expression de fureur passa sur son visage.) Aujourd'hui, c'est un héros, mais les gens de Baruppu' l'ont combattu. Il a brûlé le village et tout le monde s'est enfui à Makki pour chercher de la magie. Nous allions revenir pour le détruire, et puis les Hollandais sont arrivés. C'est pourquoi il n'y a pas de vieilles maisons ici. »

Nous avons traversé d'élégants bosquets de bambous qui tenaient absolument à encadrer des perspectives d'une incroyable beauté. Des ruisseaux bouillonnants ponctuaient les collines. Beaucoup ne se traversaient que sur des ponts glissants construits avec des perches de bambou vert. Johannis prenait un grand plaisir à m'aider, comme si j'étais un vieillard.

Nous avons atteint un autre hameau, sur un sommet. Jusqu'à présent, j'avais été frappé par la propreté et l'ordre qui régnaient dans les villages torajas. Leurs habitants plantaient même des fleurs et partageaient le plus anglais des concepts : la pelouse. Mais celui-ci était différent. C'était un vrai gâchis. Je n'avais vu nulle part des cochons autorisés à errer librement et à fourrager où bon leur semblait. Ils avaient transformé en bourbiers les espaces entre les maisons. Tous les gens, ici, paraissaient louches et peu commodes. Des enfants couraient partout en vagissant et en portant à leur bouche des poignées de saletés glutineuses. Tous avaient des filets de morve sous le nez. On aurait dit que quelqu'un s'était évertué ici à rassembler les preuves infirmant l'idée que l'Homme avait été créé à l'image de Dieu. D'une des maisons sortit soudain un homme dont la propreté parfaite faisait un frappant contraste avec cet environnement. Pendant une seconde, j'ai cru qu'il s'agissait de Bambang, l'architecte, mais c'était un de ses semblables. Il portait une chemise et un pantalon d'une blancheur immaculée, des chaussures cirées et une grosse montre en or. Ses cheveux étaient coiffés avec élégance et sa raie tracée comme avec une règle. Avec une syntaxe raffinée, il nous invita à entrer. Un corps gisait dans un coin, emballé pour des funérailles futures. De temps à autre, quelqu'un se levait et frappait un gong.

L'homme tiré à quatre épingles se lança dans une violente dénonciation des villageois. Il avait, m'assura-t-il, écrit au président au sujet de leur arriération et, curieusement, n'avait reçu aucune réponse. Mais, bien sûr, le président était un homme occupé. Il avait prié Dieu de les terrasser tous, mais à l'évidence Dieu aussi était occupé. Pourtant, un ou deux avaient été frappés. Il poursuivit dans une veine identique en secouant beaucoup la tête, et soudain il se dressa pour délivrer un sermon improvisé d'une voix criarde. Il était difficile de savoir à quelle religion il se référait, puisque les chrétiens torajas appellent Dieu Allah. Mais c'était manifestement un Dieu du glaive et l'homme s'exprimait remarquablement bien.

Assis tout autour, les autres villageois pouffaient de rire et chuchotaient. Johannis me regardait d'un air suffisant. Puis la lumière se fit dans mon esprit.

«Cet homme ne serait pas un enseignant? soufflai-je. (Tout le monde sourit en hochant la tête.) Rendu fou par son instruction?»

D'autres sourires, d'autres hochements de tête. Le dément continuait à prêcher. Maintenant, il évoquait la foudre.

«Il n'est pas dangereux, expliqua Johannis, et sa famille s'occupe de lui. Mais il est très ennuyeux.

— Oui, je vois ça.

— Leur vie est bien plus facile depuis qu'ils lui ont acheté la bicyclette.

— La bicyclette?

— Oui, maintenant, au lieu de prêcher ici, il peut

descendre en vélo pour faire ça au marché, devant tout le monde. »

Nous avons repris notre route, montant vers la forêt. Au bout d'un moment, nous nous sommes retrouvés dans un petit hameau aux très belles maisons traditionnelles, d'une taille plus élevée que toutes celles que j'avais vues jusqu'à présent. Elles étaient assez récentes et présentaient des caractéristiques inhabituelles. Dans l'une d'elles, les fenêtres, traditionnellement situées dans les pignons, avaient été recouvertes de deux pin-up nues en accord avec les goûts modernes. Les sculptures étaient plus accentuées et les motifs plus grands que dans la vallée. Tout au bout se dressait une construction délabrée qu'on aurait pu facilement transformer en une habitation accueillante, mais il semblait bien que ses aménagements allaient durer un moment. La véranda prévue pour sa façade en était encore à un stade rudimentaire. Ses planches non fixées et simplement posées sur les solives pouvaient très bien venir s'écraser sur le visage du visiteur imprudent. La rampe en bois de l'escalier d'accès était brisée et liée avec de la ficelle. Le toit était un mélange incongru de lattes de bois et de tôles ondulées, un simple expédient. Des sacs et des outils de menuiserie formaient des guirlandes sur les poutres. C'était la maison d'un constructeur, un homme bien trop occupé à travailler aux habitations des autres pour trouver le temps de finir la sienne.

Nenek était assis là, à sculpter une grosse poutre. Le prêtre de l'ancienne religion était aussi sculpteur sur bois.

Je fis signe à Johannis de s'arrêter et nous sommes restés à l'observer. Nenek était totalement absorbé par son travail. Sur son nez était perchée une paire de lunettes aussi délabrée que la maison. Ses mains, bien que frêles et osseuses, guidaient avec fermeté le couteau qui dessinait des courbes régulières et délicates. Ainsi s'expliquait une curiosité des mains de Nenek, la longue courbure de leurs pouces. C'était la conséquence de nombreuses années de pression exercée par le couteau du sculpteur. Ses mains glissaient sur la surface noire de la poutre avec l'élégance d'un patineur sur glace, des copeaux de bois sinuaient entre ses doigts tandis que naissaient les spirales et les volutes des motifs géométriques. Je n'ai jamais connu un moment plus thérapeutique. Un sentiment de paix régnait sur le hameau, une impression de douce sérénité. Nenek se pencha pour cracher et je découvris soudain avec horreur que son crachat était rouge vif. Était-il gravement malade, un artiste mourant de la tuberculose dans ces collines humides ? Puis je notai le mouvement régulier de ses mâchoires et la noix d'arec posée près de la poutre. Il mastiquait cette noix amère avec du citron vert à la manière de nombreux vieux Torajas — le jus rouge donne à leurs dents une couleur d'acajou.

Quel dommage que tout cela se déroulât dans une solitude totale ! J'eus soudain très envie de partager ce moment, de fixer ce plaisir. Johannis bâilla. Oui, pourquoi d'autres gens ne verraient-ils pas ça ? Cela ferait une merveilleuse exposition. J'emmènerais Nenek à Londres pour construire une maison ou un grenier à riz sculptés. On ne montrerait pas seulement l'objet terminé, mais tout le processus de construction. Et puis je rejetai immédiatement cette idée. Il suffisait d'imaginer les problèmes de visas, de bois, de financement... Nenek tomberait peut-être malade. C'était peut-être un acte immoral, un désir de transformer ces gens en bêtes de cirque. De toute manière, c'était infaisable. Nenek leva les yeux, nous aperçut et laissa échapper un petit rire.

Nous avons passé le reste de la journée à le regarder travailler. Il parla des motifs, de leurs noms et de leurs significations, il raconta des histoires relatives aux constructions de maisons. Il s'était levé tôt ce jour-là pour conclure la période de *ma'nene'* et permettre aux activités créatrices de reprendre. Cela faisait du bien d'avoir de nouveau un couteau entre les mains, dit-il. Hélas! il lui faudrait encore tout arrêter demain, car on devait donner sa dernière demeure au corps qui se trouvait dans la maison de l'instituteur fou. C'était lui qui s'en chargerait car le mort appartenait à l'ancienne religion.

Nous étions sur le point de quitter le hameau quand un homme fit signe à Johannis d'approcher; ils échangèrent force chuchotements. Finalement, l'inconnu se tourna vers moi et me sourit.

« *Makan angin?* » me demanda-t-il.

Manger le vent, une expression idiomatique qui signifie se promener sans but défini.

« Oui, acquiesçai-je avec la bonne humeur béate que doit afficher quelqu'un qui travaille sur le terrain, *makan angin.* »

Johannis éclata de rire.

« Non, dit-il. Pas *angin*-vent, *anjing*-chien. On a de la chance. Un chien a attrapé la rage dans le village. On l'a tué et on peut le manger. Tu n'auras pas froid cette nuit. Le chien est très chaud! »

La cérémonie du lendemain fut une version rustique et simplifiée de celle à laquelle j'avais assisté dans la vallée. Bien que Nenek fût aux commandes et, une fois de plus, très imbu de sa dignité, la majeure partie de la tâche fut accomplie par un homme en casquette de marin. Ce jour-là, il y eut un excédent de viande, qu'on empila dans le sentier : du porc et du buffle. À la vente aux enchères, les morceaux partaient à des prix qui paraissaient plutôt élevés. Il n'y avait pas de touristes ici. J'étais heureux de ne pas tomber dans cette catégorie peu flatteuse. J'étais ici en invité, et non parce qu'ils voulaient quelque chose de moi.

« Merci encore pour le médicament que vous m'avez donné », dit Nenek.

Un médicament? Ah oui! le whisky.

« Mais ce n'est pas bien de boire du médicament sans

viande. Peut-être que vous aimeriez m'acheter ce morceau de porc qu'ils sont en train de vendre. »

Je risquai un petit sarcasme.

« J'ai entendu dire qu'il y avait du chien en vente. Vous ne préféreriez pas ça ?

— Non. Le chien vous rend très fort avec les femmes. Je suis vieux. Ce ne serait pas convenable. »

J'estimai qu'il valait mieux changer de sujet.

« Quel âge avez-vous, Nenek ?

— Plus de cent ans.

— Il a soixante-dix ans », intervint Johannis.

Ils se fusillèrent du regard.

« À l'époque, on ne comptait pas, reprit Nenek. Je suis né l'année où il y avait beaucoup de souris. Un vieil homme a besoin de manger du porc. »

Je soupirai et lui achetai son porc.

L'idée de l'exposition ne me lâchait plus. Mais comment pouvais-je amener un montagnard à saisir un concept aussi étranger ? J'allais devoir m'y prendre avec précaution. Je ne voulais pas inquiéter Nenek en précipitant les choses.

« Nenek, supposons que je veuille construire un grenier à riz sculpté à Londres. Est-ce que ce serait possible ?

— Bien sûr. Je viendrai et je le ferai si vous voulez. On part aujourd'hui ? Il me faut trois assistants. Johannis, Tanduk, là-bas, et un homme spécial si vous voulez un toit en bambou. Je peux vous fournir une liste de toutes les pièces de bois dont nous aurons besoin. On ne discutera pas du prix. Un très beau buffle, c'est mon tarif habituel. Vous devrez donner quelque chose aux autres, cependant. Il nous faudra aussi des coolies en Angleterre.

— Des coolies ?

— Oui, pour aider au levage.

— Vous n'êtes pas inquiet à l'idée de vous rendre dans un pays inconnu ?

— Pourquoi le serais-je ? Les sculpteurs ont l'habitude

183

de travailler hors de leur village quand il y a un chantier. De toute façon (il m'a pressé la main), je sais que vous veillerez sur nous et que vous nous protégerez s'il y a des ennemis.

— Cela prendra beaucoup de temps à organiser, Nenek. Je ne peux rien vous promettre. Je vais devoir persuader les Anglais, puis les Indonésiens de nous laisser faire ça. Ce sera *très* difficile.

— Il y a du bois en Angleterre ?

— Ce n'est pas le bon bois. Il nous faudra tout apporter d'ici.

— Ce n'est pas un problème. Nous pouvons choisir le bois. Est-ce qu'il y a des noix d'arec en Angleterre ?

— Il n'y a pas de noix d'arec.

— *Ça* oui, ça pourrait poser un problème. Peu importe. Vous et moi, nous y arriverons ensemble. Quand ils ont voulu une maison toraja pour l'exposition à Djakarta, ils ont pris un homme de Kesu. Il n'a jamais cessé de s'en vanter. *Ça*, ça lui clouera le bec. »

Il fixa l'horizon avec une lueur visionnaire dans le regard. Pour une raison ou pour une autre, je ne songeais qu'à une chose : comment faire passer à la comptabilité la facture d'un buffle de qualité supérieure.

CHAPITRE IX

Rites conjugaux

Pour un Toraja moderne, Johannis faisait parfois preuve d'une curieuse pudibonderie. La question vint pour la première fois sur le tapis à propos des sous-vêtements, les « habits intérieurs ». En Indonésie, les hommes préfèrent les sous-vêtements classiques, robustes et d'une grande contenance. Mes propres habits intérieurs ayant souffert pendant mon séjour, j'ai consulté Johannis sur les moyens de reconstituer ma réserve. L'entreprise, apparemment, était très difficile et délicate. Au marché, c'étaient des femmes qui les vendaient. Il était donc hors de question pour moi de les acheter là. Elles allaient glousser, poser des questions sur la taille et se couvrir le nez. Il ne pouvait pas non plus demander à une parente de se procurer des vêtements intérieurs pour moi parce que je serais obligé d'entrer dans des détails déplacés sur leur degré exact d'« intériorité ».

Heureusement, il avait un ami qui pourrait nous aider. Sous le couvert de l'obscurité, nous nous sommes donc rendus dans une petite boutique à la périphérie de la ville. Après une conversation chuchotée, j'ai été autorisé à examiner et à acquérir plusieurs articles qui furent rapidement enroulés pour dissimuler leur forme et emballés dans de généreuses couches de papier journal. Nous sommes rentrés à toute vitesse avec la hâte furtive de vendeurs de drogue. L'impression que l'on m'avait fait une immense faveur était telle que je n'avais pas osé marchander.

La question s'est reposée au village. Un matin, je fus réveillé par un Johannis très agité qui, l'air scandalisé, brandit sous mon nez mes habits intérieurs. La veille, j'avais lavé ces articles choquants et je les avais accrochés sur la corde à linge devant la maison. J'aurais dû les mettre *derrière* la maison, où seuls les membres de la famille pouvaient les voir.

Mais le pire était encore à venir. Une combinaison de vêtements intérieurs et de bambous devait causer la perte du cousin de Johannis, l'homme un peu simple mais gentil qui habitait à côté.

Le lendemain de la fête, nous avons été dérangés par des éclats de voix coléreux qui venaient de chez lui. Une femme semblait se charger de la majeure partie de la conversation — ou, plus exactement, des hurlements. Johannis se précipita à la cuisine pour mieux entendre et colla une oreille contre la mince cloison ; il hochait la tête en souriant et manifestait une exaspérante réticence à traduire. Il consentit finalement à le faire avec une certaine jubilation. Il apparaissait qu'on avait vu le cousin se diriger, après force consommation de vin de palme, vers les bambous avec une autre femme du village. La dame avait mauvaise réputation. Sa mère avait été amicale avec les soldats japonais pendant la guerre, et la rumeur attribuait à la fille un père japonais. La voix du cousin grognait des réponses brèves et fuyantes — le ton de quelqu'un qui est pris en faute. Loin de détourner la tempête, son attitude parut provoquer une nouvelle crise de fureur chez sa femme. Il y eut de longs hurlements, suivis du son sourd, reconnaissable entre tous, d'un coup, puis, brusquement, ce fut le silence.

Le lendemain, le cousin mangea avec nous. Sa femme était retournée chez ses parents. Il était impensable qu'un homme fît sa propre cuisine. Personne n'avait le moindre doute sur la suite des événements. Il allait devoir rejoindre sa femme et faire amende honorable jusqu'à ce qu'elle accepte de revenir ou que sa famille l'y oblige. La disparition du cousin pendant deux ou trois jours ne causa donc pas de grande surprise. Contrairement à notre attente, cependant, il rentra seul, et de très mauvaise humeur. Personne n'osa l'interroger sur sa femme. Parfois, il essayait de m'intéresser à une expédition à travers les montagnes jusqu'à Makki, où l'on tissait toujours. C'était une région difficile et il faudrait dormir dans la forêt. Il y avait beaucoup de sangsues. Me souvenant de mon trajet à cheval depuis Mamasa, je tergiversais.

Un jour, toutefois, sa femme revint. C'était elle qui était de mauvaise humeur à présent, tandis que lui souriait et se pavanait avec suffisance dans le village comme un coq de combat. Il avait eu le dessus, finalement. Sa famille l'avait renvoyée.

Près de l'endroit où les villageois venaient faire leur lessive, il y avait un petit bar, un simple relais de poste sur le chemin du monde extérieur. Les hommes s'y réunissaient souvent pour jouer aux cartes, boire du café ou discuter par gestes avec le fils sourd-muet de la maison. Chaque village toraja semble posséder son sourd-muet. Personne ne paraît leur enseigner le langage des signes. Le cousin, joueur de cartes endurci, fréquentait assidûment ces lieux.

La lessive, y compris celle des vêtements intérieurs de son mari, incombe à une épouse chaste et respectueuse. Il n'y avait donc rien d'étonnant à voir la femme trompée apparaître avec le linge, alors que le cousin traînait au café. Avec un hoquet, le sourd-muet pointa le doigt. Le cousin adressa un sourire suffisant à ses amis et continua à jouer aux cartes avec juste un peu plus de panache que d'habitude. La femme se mit au travail et étala les sous-vêtements de son homme sur les rochers. Lui la regardait de haut avec un sourire suffisant. Elle attacha ses cheveux en arrière et le fixa à son tour. Puis, attrapant une grosse pierre, elle commença à écraser l'entre-jambes de chacun de ses slips, tout en chantonnant. Ses amis éclatèrent d'un rire malveillant. Le sourd-muet gazouillait avec ravissement. Elle avait repris ses obligations d'épouse, mais elle avait eu le dernier mot. Les souffrances du cousin ne s'arrêtèrent toutefois pas là. Johannis avait désormais décidé d'en faire la cible de son ironie.

Comme de nombreux chrétiens, il avait un goût particulier pour les manifestations les plus bizarres des pouvoirs occultes. Le christianisme, dans son compromis toraja avec les anciennes pratiques, ne s'opposait en aucune manière à la croyance aux esprits de la nature, aux fantômes et aux puissances cachées. Les connaissances de mon ami en ce domaine étaient fantaisistes et approximatives, et il m'a assez souvent lancé sur de fausses pistes. Parfois, ce n'était pas sa faute : l'anthropologie elle-même est pleine de fausses pistes.

Une fois, j'avais exprimé de l'intérêt pour un prêtre particulier appelé *to burake tambolang* qui, associé à l'est et à la fertilité, possède un curieux statut sexuel : il est hermaphrodite, bisexuel ou travesti — les Torajas ne semblent pas faire clairement la distinction. À Baruppu', de tels personnages étaient considérés comme exotiques, même si le titre exact de Nenek lui-même était *indo' aluk,* «mère de la tradition». S'il était incapable d'expliquer cette appellation féminine, Nenek était précis au sujet des *tambolang.*

«Ce sont des hommes, mais ils ne peuvent pas avoir d'enfants, car leur membre est très petit. Ils ont des voix aiguës. Le *tambolang* est le seul homme autorisé à entrer dans un grenier à riz. (C'était intéressant, puisque ce jour-là j'avais justement visité l'un de ces greniers. Nenek a balayé mon objection d'un geste de la main.) Oh, *vous.* Vous ne comptez pas. Vous êtes un *puttyman*, donc quelqu'un de bizarre. De toute manière, c'était dans l'ancien temps. De nos jours, les femmes s'enfuient, elles ne valent rien. Si un homme ne veut pas mourir de faim, il est obligé de monter se servir. »

À en croire la littérature sur le sujet, de tels personnages n'existent plus. Je fus donc particulièrement intéressé quand Johannis m'affirma qu'il en connaissait un à Rantepao et m'emmena le voir.

L'homme était très maigre et très âgé. Sa maison grouillait de chiens et d'enfants. J'abordai la question avec discrétion et par la bande. Les anciennes coutumes m'intéressaient et l'on m'avait dit que sa famille s'y connaissait. Il acquiesça. Peut-être avait-il des informations sur les *to burake tambolang*? Il y eut un silence. Il était gêné.

« Qui vous a dit ça ? demanda-t-il en jetant un regard mauvais à Johannis. C'était mon père. Je ne sais rien de tout ça. (Il avait l'air en colère maintenant.) Je ne veux pas en parler. Mon père ne m'a rien transmis en dehors d'une chose.

— Laquelle ?

— L'amour du chocolat. »

J'étais quand même satisfait. Si son père avait été *tambolang*, cela semblait régler le problème de sa virilité. Johannis, cependant, n'hésita pas à torpiller mes certitudes.

« N'oublie pas que de très nombreux Torajas sont adoptés. Nous passons notre temps à échanger nos enfants. »

Je n'avais donc rien appris dans l'affaire.

Johannis m'avait également conduit auprès de quelqu'un de Baruppu' qui, affirmait-il, pouvait prendre les cornes de buffle ornant l'extérieur de sa maison et les faire se battre comme l'avaient fait jadis, du temps de leur vivant, les animaux qui les portaient.

J'ai questionné l'homme à ce sujet. Il m'a regardé comme si j'étais fou et m'a expliqué gentiment que quand un buffle était mort, il était mort. Qu'une des conséquences de la mort était de ne plus bouger. J'ai eu l'impression qu'il avait peur de moi.

« Il était intimidé, déclara Johannis imperturbable. De toute manière, il pensera simplement que tu es un enseignant rendu fou par tes études. »

Aucun de ces deux événements ne jeta le discrédit sur Johannis. Un autre le fit.

Un jour, il arriva tout sourire.

« Ce que j'ai à te dire va te plaire. (Je pris un air méfiant.) Il y a une cérémonie spéciale chez les voisins ce soir.

— Quelle sorte de cérémonie ? »

Il eut l'air intimidé et considéra ses pieds. Il remua les orteils.

« C'est quelque chose que j'ai organisé. (À présent, j'étais réellement soupçonneux.) Ça a rapport à l'ancien temps. Tu vois, souvent, quand un homme a beaucoup de malchance, il va chez un spécialiste qui lui conseille de faire une offrande au pilier central de sa maison. J'ai persuadé mon cousin d'à côté de sacrifier un poulet à son pilier, et je vais m'occuper de la cérémonie.

— Tu vas t'en occuper, *toi* ? N'est-ce pas à Nenek de le faire ?

— Nenek ne veut pas. Mais il m'a montré. Je pensais que tu aimerais être au courant. C'est juste la porte d'à côté.

— Merci. »

J'éprouvais une sorte de pieuse satisfaction. Mon intérêt pour les anciennes coutumes semblait susciter une réaction dans le cœur de ce jeune païen.

« Ooh ! Encore une chose. J'aimerais prendre des notes sur la cérémonie. Puis-je avoir un stylo, peut-être un de tes rouges étanches ? »

Johannis admirait ces stylos depuis longtemps. Cela flatta mon instinct pédagogique.

190

« Bien sûr. »

Il fourra le stylo dans la poche de sa chemise et partit en chantonnant.

Ce soir-là, nous nous sommes réunis dans la petite maison délabrée. Il y avait un certain nombre de jeunes gens, des amis de Johannis, et j'ai dû me trouver une place dans le fond. Johannis avait organisé le spectacle. Le cousin était là, assis contre un gros pilier, l'air tendu. Johannis et d'autres jeunes du village s'étaient installés en cercle autour de lui. Aucun ancien n'était venu. Une lampe à pétrole, réglée au minimum, éclairait leurs visages par en dessous, leur donnant un aspect étrange et surnaturel. On entendait un murmure de conversations. Devant le cousin, un petit feu brûlait sous un pot en argile au fond arrondi. À côté, on avait préparé un couteau et des morceaux de racines ratatinées. Johannis paraissait avoir endossé toute la dignité de son grand-père. Il frappa le sol pour imposer le silence, puis se lança dans un chant choral auquel les autres se joignirent, assis en tailleur et se balançant d'avant en arrière. Il y eut quelques gloussements déplacés que Johannis fit taire d'un regard noir. Les chants continuèrent un moment. Sur un signe de Johannis, un petit garçon apporta un minuscule poulet blanc, le lui donna et s'enfuit en courant. Johannis le brandit devant l'assistance, lui trancha le cou et éclaboussa de son sang le front du cousin, le pilier et le pot. Un par un, les ingrédients furent incorporés au brouet que l'on remuait. Une odeur infecte envahit la pièce comme une flatulence fétide. Johannis semblait psalmodier comme un *to minaa*. Nenek lui avait-il appris ça? Il commença à passer ses mains dans la vapeur, faisant doucement courir ses doigts sur le pot puis sur son visage, respirant la fumée. Il exhorta le cousin à l'imiter, à inhaler, à caresser le pot, à imprégner sa peau de sa force, à répéter les mots. Soudain, il y eut un éclat de rire et quelqu'un augmenta la puissance de la lampe. Maintenant, tous les jeunes gens vociféraient en tapant par terre. Le cousin et moi nous regardions, ébahis. Puis je compris ce que celui-ci ne pouvait savoir. Johannis avait barbouillé tout l'intérieur du pot avec l'encre rouge de mon stylo. Mêlée à de la suie, elle était maintenant étalée sur le visage de sa malheureuse victime. Elle était indélébile. Il mit deux jours à s'en débarrasser.

J'aurais dû être agacé de cette atteinte à mon ego, mais je fus surtout soulagé que Johannis ne m'eût pas choisi comme victime.

Malgré mon désir de rester au village, il était temps pour moi de retourner dans la capitale de la province. Mon visa allait bientôt expirer et je devais donc le faire prolonger. On m'assura que tout s'arrangerait très vite au Bureau de l'immigration. Nous avons rusé pour quitter le village sans Nenek, qui s'était mis en tête de faire un tour en ville. Nous avions prévu de descendre la montagne à pied, mais nous avons eu le malheur d'être rattrapés par le camion, qui allait dans la même direction. Nos anciens crimes étant désormais pardonnés, on nous a exhortés à monter à bord, ce que nous avons fait à contrecœur. On nous a même offert les sièges d'honneur, dans la cabine. Dès que nous avons atteint la partie boueuse, le véhicule s'est à nouveau embourbé. Pendant au moins une heure, nous avons sacrifié à la routine : creuser, pousser, chercher des pierres. Finalement, Johannis m'a donné un coup de coude.

«On marche», a-t-il.

Tout le monde a cessé le travail pour suivre des yeux notre déloyale retraite. Johannis sifflotait, et moi, je gardais la tête baissée.

C'était une journée splendide, fraîche et lumineuse. Nous avons croisé un homme qui nourrissait son buffle de longs fagots de joncs, comme s'il alimentait une scie circulaire avec des planches. Nous avons fait un bout de chemin ensemble, tout en discutant longuement des rituels auxquels pouvait servir un buffle acheté, par opposition à un buffle élevé chez soi. Douze kilomètres plus loin, nous avons rejoint la route principale où nous pouvions espérer attraper un autocar pour la ville. Nous nous sommes assis au bar et nous avons attendu. Nous avons joué avec les enfants, bu du café, fait pipi, bu de nouveau du café. Le propriétaire a commencé à nous sonder au sujet d'un lit pour la nuit. Aucun autocar ne venait. L'enseignant à l'esprit dérangé a fait son apparition et m'a expliqué ses projets de développement industriel. Soudain, on a entendu le bruit d'un bus. Johannis et moi nous sommes levés précipitamment, de peur de le rater. Au détour du virage nous avons vu le camion que nous avions traîtreusement abandonné.

Ce n'était pas le moment de monter un orgueil mal placé. Johannis a agité les bras pour le faire stopper et a manifesté, avec un manque de sincérité éhonté, toute la joie de notre bonne fortune. Le chauffeur nous a jeté un regard noir, mais nous avons finalement eu l'autorisation de remonter à bord.

Cependant, nous avons perdu nos sièges à l'avant et il nous a fallu payer.

CHAPITRE X

Laissez-moi vous appeler... Pong

Le Bureau de l'immigration d'Ujungpandang était un bâtiment en béton étouffant et poussiéreux, situé près du port. Beaucoup de gens étaient assis là, à attendre. Ils avaient l'air infiniment déprimés comme s'ils se morfondaient depuis longtemps en ce lieu et n'avaient aucun espoir immédiat de délivrance. Personne derrière le bureau. C'étaient des marins, tous frais émoulus de l'école navale. Ils se montrèrent immédiatement amicaux. Je ris en voyant les photographies sur leurs passeports. Ils rirent de la mienne. J'essayai leurs bérets. Ils étaient tous trop petits. Au bout d'une heure environ, six fonctionnaires en uniforme arrivèrent en titubant sous le poids d'un énorme tableau souple. Ils passèrent les quarante minutes suivantes à essayer de l'accrocher au mur. Mais le béton résista à tous leurs efforts. Ils abandonnèrent finalement et se contentèrent de le poser dans un coin. Nous pûmes enfin voir de quoi il s'agissait : c'était un graphique impeccablement dessiné, dont la courbe qui montait en flèche prouvait l'«Efficacité croissante du Bureau».

Nous avons commencé par remplir des formulaires. Les marins m'aidèrent. Ils m'expliquèrent gentiment qu'avant tout je devais acheter un dossier dans une boutique au coin de la rue, car sinon personne ne prendrait la peine de considérer ma demande.

« Elle appartient au frère de l'homme qui tient le Bureau », ajoutèrent-ils dans un chuchotement.

J'ai mis un certain temps à trouver l'endroit en question. Quand je suis revenu avec mon dossier, le Bureau fermait.

« Mais il n'est que midi. »

L'homme haussa les épaules.

« Nous ouvrons à huit heures demain matin. Mais n'oubliez pas que c'est vendredi. Nous fermons tôt pour que tout le monde puisse aller à la mosquée. »

Le lundi suivant, je n'avais guère progressé. L'homme qui s'occupait de ma demande n'avait nulle envie de se montrer serviable.

« Anglais ? m'avait-il dit avec un sourire en coin. Quand je suis allé en Angleterre, les gens de l'Immigration m'ont traité comme un chien. Oui, ça fait plaisir d'avoir un dossier anglais. »

Il m'a fait faire trois fois le tour de la ville pour une longue chasse aux paperasses. Le plus difficile fut d'obtenir un document du responsable du ministère du Travail indiquant que je n'avais pas besoin d'un document de leur part. Les marins avaient des problèmes du même ordre. Il les obligea à acheter très cher des autocollants patriotiques. À la fin de la première semaine, leurs dossiers en étaient couverts. Ils vantaient les activités sportives, le contrôle des naissances et la protection de l'environnement.

Durant l'une de ces longues pauses où mon cas était « examiné », je me suis rendu à l'immense université nouvelle en cours de construction à la périphérie de la ville ; je cherchais quelqu'un que j'avais brièvement rencontré en Angleterre. Je ne l'ai pas retrouvé mais, par pure chance, mes errances m'ont conduit dans le bureau d'une dame très élégante qui enseignait l'anglais. Au cours de la conversation, je lui ai raconté mes difficultés au Bureau de l'immigration.

«Cet homme, comment s'appelle-t-il?

— Arlen. C'est un Batak, de Sumatra.

— Je ne pense pas le connaître. Nous donnons une réception ce soir à l'hôtel, dit-elle. Vous devez venir.»

Ujungpandang compte beaucoup d'hôtels, mais un seul a des prétentions de luxe. Il est construit au-dessus de la mer; les palmiers ondoyants et les vagues ne produisent que des bruits discrets. Dans le hall, un panneau m'informa que j'étais là pour dire au revoir à un professeur américain invité. Quand je suis entré, celui-ci m'a serré la main.

«J'ai beaucoup apprécié de travailler avec vous pendant ces deux ans», m'a-t-il assuré avec une profonde sincérité.

Mon hôtesse, Ibu Hussein, s'avéra être l'épouse du doyen. Elle me le présenta. C'était un homme enveloppé et souriant; il empila la nourriture dans mon assiette. La soirée fut très différente de ce qu'aurait été son équivalent en Angleterre. Il y eut de nombreux discours, la plupart en anglais. Un homme aux yeux fous, vêtu d'un costume bleu étriqué, fit une longue allocution sur son propre séjour en Amérique, où il avait appris à prendre le bus sans payer et à extraire de nombreuses boîtes de Coca-Cola d'un distributeur avec une seule pièce de dix cents. Un autre se leva et annonça avec une sombre rancune qu'à *sa* soirée d'adieux, aux États-Unis, on lui avait fait payer son repas. Le doyen révéla qu'il avait étudié à Manille, et que là, c'étaient les conducteurs d'autobus qui escroquaient les passagers. Il était si pauvre, à cette époque, que le seul moyen pour lui de manger à sa faim c'était d'assister aux réceptions données chaque semaine en l'honneur des étudiants indonésiens qui débarquaient. Cela signifiait qu'il devait prendre un bus jusqu'à l'aéroport pour pouvoir revenir avec le nouveau groupe.

Personne ne l'avait jamais reconnu. En Amérique, il avait remarqué qu'à la fin du trimestre les étudiants volaient toutes les pendules.

Quelques étudiants, parfaitement récurés et terriblement timides, récitèrent des poèmes dans un anglais à peu près incompréhensible. Un jeune homme se leva et désigna le professeur sur le départ :

«Cet homme est mon père. Je l'aime très vraiment.»

Il se mit à pleurer. Un chat errant, l'air hautain, se promenait avec une grâce infinie sur les poutres du plafond quand le doyen commença à chanter *Auld Lang Syne*[1] dans diverses langues. La plus convaincante, et de loin, fut le japonais.

Johannis vivait dans le quartier toraja de la ville, un endroit délicieux près d'un vaste étang entouré de jardins potagers. Son seul inconvénient, c'était le nombre époustouflant de moustiques. Comme j'étais de très bonne humeur après la réception à l'université, j'ai décidé de lui rendre visite et nous sommes partis boire du vin de palme avec d'autres Torajas de la maison. Nous nous sommes assis dans une grande cour sur de grossiers tabourets en bois, tandis que les bambous pleins de vin écumeux éructaient et gargouillaient contre le mur. Au bout d'un moment, un petit gros fit une entrée théâtrale en motocyclette. Tout le monde se tut.

«Police», me glissa Johannis.

Assis sur son engin, l'homme alluma une cigarette et regarda autour de lui.

«Qui est le Hollandais?» cria-t-il.

Johannis se tourna à contrecœur.

«Un touriste, Pak. Il va à Toraja.

— Envoie-le-moi ici.»

---

1. En écossais *Le Bon Vieux Temps*. On entonne cette chanson à la fin d'une soirée, sur la musique de *Ce n'est qu'un au revoir*. *(N.d.T.)*

Il m'examina de la tête aux pieds. Quel était mon nom? Où est-ce que j'habitais? Qu'est-ce que je faisais avec eux? Je ne savais donc pas que c'était un débit de boissons illégal, ici? C'étaient de mauvaises gens. Je risquais de m'attirer des ennuis. J'étais un invité, dans son pays. Il allait m'emmener ailleurs pour boire. J'étais sur le point de protester, mais je vis Johannis m'adresser un regard lourd de sens et secouer la tête. Je grimpai donc sur sa moto et nous partîmes.

Notre destination était un autre débit de boissons tout aussi illégal. Il m'en coûta trois bières et je dus m'intéresser, une heure durant, aux nombreux torts qu'il avait subis dans son village à Bali, et dans la police, et de la part de sa femme.

« Encore à boire », exigea-t-il.

Je sentis qu'il était temps d'essayer un gros mensonge.

« Je suis désolé. Il faut que je rentre. J'ai rendez-vous avec le gouverneur demain matin. »

Il me regarda, se demandant si ça pouvait être vrai. Il en doutait, mais il n'était sûr de rien; il se dégagea du banc en chancelant.

« Vous ramène à l'hôtel, marmonna-t-il. Invité dans le pays. »

Nous avons regagné, par un itinéraire assez fantaisiste, l'endroit étouffant et déprimant où je demeurais. J'ai pris congé, le remerciant d'avoir « veillé sur moi ».

« Attendez, dit-il soudain. Là, j'ai un problème. Je crois que je suis en panne d'essence. Vous n'auriez pas mille roupies sur vous, par hasard? »

Je ne voyais pas l'intérêt de renoncer maintenant à mon attitude lâchement conciliante. J'ai donc payé.

« Comment vous appelez-vous? fis-je, en essayant de prendre le même ton que si j'avais demandé son matricule à un policier anglais.

— Vénus, dit-il. Mon nom est Vénus. »

199

Jour après jour, je retournais au Bureau de l'immigration. Parfois, Arlen était là et il avait de nouvelles missions à me confier. Parfois, il n'était pas là du tout et je me contentais d'attendre. Puis, par un jour extraordinaire, la porte du directeur du Bureau s'ouvrit. J'avais essayé plusieurs fois de le voir, mais on m'avait toujours renvoyé sur Arlen. Il s'approcha avec une expression de déférence, en s'inclinant et en se dandinant.

« J'espère, dit-il, que l'on s'occupe de vous comme il convient. Je pourrais peut-être vous aider ? »

Je ne sus par où commencer. Il afficha un sourire mielleux quand je me lançai dans le récit de mes difficultés. Cinq minutes plus tard, je quittais le Bureau avec une prolongation de trois semaines. Il m'avait fallu douze jours pour l'obtenir. Le directeur m'ouvrit la porte lui-même.

« S'il vous plaît, dit-il, transmettez mes amitiés à Ibu Hussein. »

J'appelai l'université et j'obtins le doyen.

« Ah ! soupira-t-il, il n'était pas censé vous dire quoi que ce soit. Ma femme est *en effet* passée par hasard au Bureau de l'immigration ce matin. Vous voyez, il se trouve que le directeur du Bureau étudie à l'université. Pour obtenir une promotion, il a besoin de réussir un examen. En ce moment, il trouve le cours *très* difficile. Sans doute que si l'obtention des visas était plus rapide, il aurait plus de temps à consacrer à ses études et le cours ne lui semblerait plus tout à fait aussi dur.

— Je vois Comment pourrai-je jamais vous remercier ?

— Ce n'est pas nécessaire. Beaucoup de gens en Angleterre ont été gentils avec moi, et donc je le suis avec vous. Peut-être aurez-vous un jour la possibilité de rendre service à un Indonésien ? »

De retour à l'hôtel, la porte de ma chambre était entrebâillée. On entendait des voix à l'intérieur. J'eus un serrement de cœur. L'English Club avait retrouvé ma trace et il allait me gâcher la vie avec ses verbes irréguliers. Pourtant, je devais « rendre service » à un Indonésien. Avec un sourire figé, je poussai la porte. C'étaient les marins du Bureau de l'immigration.

« On a trouvé ton adresse sur le formulaire, annoncèrent-ils, et on a dit aux gens d'ici qu'on était tous tes cousins. On vient voir si tu ne te sens pas trop seul et trop triste. »

Je leur racontai les événements merveilleux qui m'étaient arrivés avec mon visa. Ils sourirent et me serrèrent dans leurs bras. Je n'étais tout de même pas attachant à ce point ?

« Alors, tu peux venir avec nous voir les papillons. »

Oh, Seigneur ! J'ai repensé au zoo de Surabaya. J'étais condamné à entreprendre une morne tournée des lieux de plaisir de la vieille ville.

« Ma femme n'aimerait pas ça.

— Elle préférerait que tu restes ici à te morfondre, plutôt que de venir avec nous voir de superbes papillons ? Ce n'est pas possible. »

Voir ? Peut-être ma participation se limiterait-elle à un rôle de voyeur ?

« Il n'est que dix heures du matin. Ils ne seront pas levés. »

Ils hochèrent la tête gravement.

« Ils se lèvent très tôt. C'est le meilleur moment, ils n'ont pas encore trop chaud et ils ne sont pas fatigués. En plus, on a emprunté un camion rien que pour toi. »

C'était vrai. Un camion aux couleurs bleues de la marine indonésienne était garé dehors. Il ne servait à rien de résister. Je devais une faveur à un Indonésien. J'y suis allé.

J'ai éprouvé un considérable soulagement quand nous nous sommes arrêtés devant une réserve de papillons. Nous avons passé une journée délicieuse à siroter du sirop d'orange tiède au milieu de jolis lépidoptères. C'était très différent d'une virée avec des loups de mer anglais.

À notre retour en ville, le soleil se couchait.

« Viens chez nous. C'est près de la fabrique de biscuits. »

Sept d'entre eux habitaient une cabane minuscule aux murs couverts de photos d'une chanteuse de variétés américaine.

« Nous l'aimons parce qu'elle est vierge, m'expliquèrent-ils. Elle en parle dans une chanson.

« Mais comment dormez-vous ici ? Vous ne pouvez pas tous vous allonger.

— On se relaie. Certains dorment jusqu'à deux heures du matin, puis ils vont dehors et les autres les remplacent. Bruno reste couché aussi pendant la journée, mais il est d'Irian Jaya. »

Bruno eut un immense sourire d'homme noir.

Tandis que la nuit tombait et qu'une poussière tiède dansait autour de nos pieds, nous avons grignoté des brisures de biscuits achetées à bas prix à l'usine voisine. Je n'avais jamais connu une aussi chaleureuse camaraderie, et cela ne m'est plus arrivé depuis.

Plus je réfléchissais à la marche à travers la forêt jusqu'à Makki, suggérée par le malheureux cousin de Johannis, moins je me sentais enclin à l'entreprendre. C'était là, pourtant, que l'on trouvait encore des tissages traditionnels. J'avais heureusement une autre possibilité. Une célèbre tisserande toraja de Kalumpang s'était récemment installée à Mamuju. Avec un peu de chance, si je partais à l'aube, j'y arriverais en autocar en une journée.

Quand j'y repense, ce voyage a quelque chose d'irréel et de cauchemardesque. Les Indonésiens sont d'excellents conducteurs. Ils sont obligés, pour faire ce qu'ils font et réussir à survivre. Nous avons frôlé deux fois l'accident : à un moment, un cheval emballé a jailli d'une route latérale et plus tard un buffle s'est écrasé contre le flanc de notre minuscule camionnette bondée qui fonçait sur l'étroite bande de macadam. Ensuite, nouvel incident lorsqu'une sourde a traversé juste devant nous. À ces moments-là, les secondes semblent élastiques. D'une manière ou d'une autre, nous avons eu le temps de hurler en indiquant du doigt cette pauvre femme qui se trouvait à quelques centimètres seulement devant nos roues, et, d'un coup de volant, le chauffeur a pu plonger dans un profond fossé de drainage, d'où il a rebondi à la façon d'une fusée vers un groupe d'écoliers dont les visages terrifiés s'éparpillèrent devant notre pare-brise comme des feuilles. Par miracle, personne ne fut blessé, mais nous y avons laissé notre embrayage. Comme nous étions en Indonésie, cependant, l'affaire ne nécessita pas deux semaines de garage. Le chauffeur s'est assis tranquillement, a allumé un feu et a réparé les pièces endommagées sur cette forge improvisée, si bien que deux heures plus tard nous étions repartis.

De chaque côté de la route s'étendaient des rizières luxuriantes qui donnaient cinq récoltes tous les deux ans. Partout, on construisait de belles maisons. De nouvelles mosquées étincelantes indiquaient clairement que nous étions dans une région bugi, chez ces envahissants marins musulmans qui s'étaient établis dans de nombreuses zones littorales de l'archipel. Nous croisions des chevaux potelés tirant de minuscules charrettes. Abstraction faite des mosquées, on aurait dit la vision américaine d'une bonne vie simple.

La route commença à longer le rivage. Je ne comprenais pas pourquoi cette région n'était mentionnée dans aucun guide. Des plages de sable doré bordaient une mer d'un bleu limpide. Des maisons de bois très sobres, avec des balcons, dominaient les vagues ; des pêcheurs réparaient des filets et des femmes tissaient ; des enfants nus à la peau brune riaient et s'amusaient dans les mares. De spectaculaires affleurements rocheux lançaient leurs arcs-boutants sur un ciel sans nuage. J'ai commencé à penser à Mamuju avec une excitation croissante. L'hôtel serait un grand bâtiment blanc en bois, avec une véranda d'où je contemplerais la splendeur d'un coucher de soleil tropical. Profusion de fruits de mer au menu. Un fantasme de marin d'eau douce.

Mais, bientôt, les choses commencèrent à se gâter. Alors que nous nous enfoncions en pays bugi, le chauffeur s'abandonna soudain à une haine des chiens toute musulmane. Il donnait de grands coups de volant pour essayer d'écraser ces innocentes créatures couchées au bord de la route. Il réussit finalement à porter un coup fatal à un chiot. Il adressa un grand sourire aux passagers, dont plusieurs le critiquaient en grommelant.

« Les chiens sont impurs », dit-il.

Peut-être n'est-ce pas simplement un hasard quand le manque d'aisance dans une langue et les lacunes en théologie donnent à une déclaration une allure biblique :

« Même les bêtes impures sont l'œuvre de Dieu et l'homme qui les tue est un idiot. »

Avais-je *vraiment* dit ça ?

Le chauffeur fit la moue et se mit à bouder. Cela explique peut-être pourquoi il se montra réticent à nous emmener plus loin que la ville suivante si l'on ne payait pas un supplément, même s'il prétextait l'heure tardive et l'état imprévisible de la route.

Je n'avais aucune envie de passer la nuit à Majene. Cette agglomération était certainement bien dans son genre, mais elle ne pouvait se comparer aux délices de Mamuju que me dépeignait mon imagination. Après avoir erré un moment sur la place du marché, je finis par trouver un homme qui se rendait à Mamuju le soir même. Hélas ! il ne possédait qu'un pick-up dont la cabine était déjà bondée, mais j'étais le bienvenu à l'arrière, en échange d'un modeste paiement. C'était une superbe soirée avec un beau coucher de soleil. Mamuju ne se trouvait qu'à cent kilomètres. J'allais me régaler.

À mon grand embarras, je ne fus pas autorisé à me blottir simplement à l'arrière. On y installa une chaise en rotin, où je dus prendre place, le dos raide, comme un gouverneur colonial en grand apparat. L'homme conduisait avec un sérieux solennel et s'éternisait aux croisements comme s'il souhaitait me faire voir par le plus de gens possible.

Le hasard — malencontreux par certains côtés — voulut que ce fût le jour où les pèlerins rentraient de La Mecque, et défilaient dans les rues, coiffés des turbans blancs marquant leur statut de *hadjdj*. Une foule impatiente s'était rassemblée tout au long du parcours et tendait le cou pour guetter l'arrivée des êtres chers que leur onéreux voyage avait élevés à de nouveaux sommets de piété. C'était un jour où l'on s'attendait à constater des transformations personnelles, un jour où les pêcheurs pouvaient très bien être devenus des saints, où leur contact avec le sanctuaire sacré avait peut-être rendu méconnaissables des proches parents. La lenteur olympienne de notre camionnette nous associait à cette procession. Sur notre passage, un murmure dévot s'élevait, bientôt interrompu par des rires hystériques quand on m'apercevait sur ma haute chaise. La déception fit tomber un homme de sa véranda, tandis qu'un autre laissait choir la théière qu'il tenait, comme s'il venait de se brûler les doigts. Chaque fois que nous nous arrêtions à un croisement, une foule rigolarde poussait des acclamations et se précipitait avec bonne humeur. Ils me pressaient doucement le bras avec le seul mot d'anglais qu'ils connaissaient :

« *Yes*, murmuraient-ils. *Yes.* »

Cette progression impériale se poursuivit jusqu'à la tombée de la nuit. Nous approchions de Mamuju. Les gens se replièrent chez eux pour fuir la nappe de moustiques qui parut soudain tomber du ciel. D'épais nuages de fumée dissimulèrent la route quand les citadins enflammèrent des tas d'enveloppes de noix de coco sous leurs maisons pour chasser les insectes. On pourrait penser que les moustiques ont du mal à poursuivre un homme voyageant à l'arrière d'une camionnette, et pourtant ils y parvinrent. Ils s'infiltrèrent, me piquèrent et ça me gratta jusqu'au moment où, moi aussi, je fus forcé de fumer pour calmer leurs ardeurs.

Mamuju est une insulte délibérée à la beauté du reste de cette côte. Impossible de l'expliquer autrement. En la découvrant, j'ai regretté de ne pas avoir affronté les sangsues de la forêt. C'est un méchant ramassis d'habitations miteuses en béton autour d'une zone aride. Le centre-ville est un énorme tas d'ordures pourrissantes où se dressent tant bien que mal des marchés d'alimentation. Elle a dû avoir jadis une belle plage, mais celle-ci est recouverte aujourd'hui de dalles de béton où on déverse d'autres détritus pour nourrir les chèvres. Il y a plusieurs années, un tremblement de terre a endommagé les conduites d'eau et une bonne partie de la ville n'est plus alimentée régulièrement. Il régnait une chaleur effroyable dans mon hôtel minable, où il n'y avait pas d'eau du tout. Pour permettre aux voisins de s'examiner en cachette, on avait percé des trous dans les murs de carton très minces séparant les chambres. La seule nourriture disponible en ville était un ragoût graisseux de têtes de poissons. J'ai passé une nuit blanche à me tourner et me retourner dans mon lit, harcelé par les moustiques, et, dès qu'il a fait jour, je me suis réfugié dans la partie toraja de la cité.

Dans ces régions, l'identité ethnique est largement basée sur la religion. Les musulmans sont bugis, et les chrétiens torajas. Un Toraja qui se convertit à l'islam n'est plus considéré comme toraja. Un affrontement religieux larvé imprègne l'atmosphère.

Les communautés torajas se serrent autour de leurs

églises et c'est là que j'ai trouvé Aneka, que j'étais venu voir. J'avais une lettre d'introduction de sa fille, qui vivait à Baruppu'. Aneka était une femme d'environ quarante-cinq ans, lasse et renfrognée. Elle lut la lettre et m'invita chez elle.

« Nous lirons la Bible ensemble », proposa-t-elle.

Comme la mère de Johannis, elle s'était convertie au christianisme, et la religion occupait désormais l'essentiel de sa vie. Cela ne me gênait pas. La plupart des langues que je connais, je les ai apprises en commençant par une traduction de la Bible, qui était souvent le seul livre imprimé dans la langue en question.

Elle et son mari utilisaient un étrange pidgin pieux ; ils annonçaient toujours les mauvaises nouvelles par « C'est la volonté de Dieu que... », alors que les bonnes commençaient par « Dieu a ouvert la voie pour... ». Il est facile d'adopter de telles expressions. Le troisième jour, quand le mari me demanda si je sortais pour « la grosse commission », je lui répondis sans intention comique :

« Si Dieu ouvre la voie. »

Malgré son apostasie, Aneka m'est apparue au début comme une tisserande traditionnelle, maîtrisant un long processus de transformation depuis les peluches blanches cueillies sur les buissons de coton jusqu'à ses superbes tissus bleus et rouges. Entre de longues lectures de la Bible, elle m'a montré avec enthousiasme la préparation des teintures végétales. J'ai remarqué qu'elle utilisait près de deux litres de piments pour fixer la couleur d'une petite étoffe, ce qui expliquait ma réaction à la couverture sur le chemin de Mamasa. Ces tissus, connus sous les noms de *sarita* et *seko mandi*, jouent un grand rôle dans toutes les fêtes de Tana Toraja et servent à parer les gens et les bâtiments. On attribue des pouvoirs spéciaux — éteindre les feux, prédire les événements affreux — à certaines étoffes, qui ne tardent pas à devenir des biens de famille.

Leur procédé de fabrication est relativement simple.

Les fils de chaîne sont tendus sur un cadre et quelques parties sont masquées par de la ficelle en plastique. À ce moment-là, on étale la teinture. Quand elle est sèche, on enlève la ficelle protectrice à certains endroits et on répète le processus avec d'autres couleurs. Les fils sont divisés en deux et servent à tisser deux bandes de textile que l'on coud ensuite pour former une seule pièce composée de deux sections identiques. Le résultat final, c'est une matière épaisse et douce décorée de couleurs éclatantes qui prennent progressivement la patine du temps. J'ai noté avec un grand intérêt que des motifs utilisés pour les sculptures sur bois apparaissaient aussi sur ces étoffes. Aneka leur donnait les mêmes noms que Nenek, mais, alors qu'elle affirmait que les sculptures avaient été copiées sur les tissus, Nenek assurait le contraire. Pour lui, les motifs des sculptures étaient tombés tout prêts directement du ciel. Pour Aneka, en revanche, ils avaient été inventés par des femmes comme elle. Peut-être était-ce cela qui l'avait récemment incitée à innover. Dans les débats sur de tels sujets, les spécialistes choisissent l'une ou l'autre hypothèse, sans tenir compte du fait qu'il y a, au moins, un troisième élément en jeu : les tatouages — qui, de nos jours, disparaissent rapidement. Elle avait commencé à inclure des croix, des moutons et divers autres symboles chrétiens dans des étoffes expérimentales qu'elle était encore trop nerveuse pour montrer à quiconque. Les moutons l'inquiétaient tout particulièrement, car elle n'en avait jamais vu un seul. Il est surprenant de constater à quel point on les mentionne souvent dans la Bible.

Suivre l'ensemble du processus de fabrication de l'étoffe me prit près d'une semaine. Et c'est avec un véritable sentiment de libération que je suis monté à bord de l'autobus qui devait me ramener à Tana Toraja, un gros paquet d'étoffes d'Aneka rangé à mes pieds. Celui-ci, toutefois, dut bientôt laisser la place à des noix de coco et il servit de siège à un minuscule enfant ébouriffé qui me contempla de ses grands yeux étonnés.

Un homme replet fut installé à côté du chauffeur avec des manifestations élaborées de déférence, et force *«Bapak»*. C'était sans doute un important personnage. Nous constations avec ressentiment que son espace vital était inviolé, tandis que de plus en plus de passagers s'entassaient dans le nôtre. Finalement, le chauffeur se montra à la fenêtre et lui demanda par gestes, quoique avec déférence, de s'avancer un peu pour permettre à une autre personne d'entrer. Bapak souffla et fit entendre des claquements de langue agacés. Nous avons souri, goguenards. C'était la première brèche dans son bastion. La porte s'ouvrit et l'une des plus belles filles que j'eusse jamais vues s'assit à côté de lui. Il se retourna pour nous lancer un regard égrillard.

L'autobus démarra. Les noix de coco roulaient avec bruit entre nos pieds. L'enfant continuait à me fixer avec étonnement, tandis que sa mère enfournait des poignées de riz dans sa bouche.

À la sortie de la première ville, un policier armé d'un fusil nous fit signe de nous arrêter. Un silence coupable s'empara du bus. Le policier prit son temps. Il regarda le bus de haut en bas. Il en fit le tour. Il ôta ses lunettes de soleil. D'un mouvement du fusil, il ordonna au chauffeur de descendre, glissa ses pouces dans sa ceinture et se lança dans un long discours. Des mots nous parvenaient par la fenêtre :

«... danger pour les passagers... respect de la loi... intégrité de la République.»

Le chauffeur baissait la tête. Nous étions tous assis au garde-à-vous.

«Deux passagers de trop, expliqua Bapak. Il invoque de grands principes. Ça va coûter cher.»

Le sermon dura plusieurs minutes. Le policier entreprit une inspection complète du véhicule — les phares, les pneus — et exigea des liasses de documents. Puis il entraîna le chauffeur à l'arrière.

«C'est bon signe», assura Bapak en hochant la tête.

On entendait le chauffeur qui disait :

«Oui, Pak. Mais je pense que *juste pour cette fois*, on pourrait passer sur...»

Il revint avec le sourire, l'air content de lui, et mit le moteur en marche.

«Combien? demanda Bapak.

— Deux mille, mais il n'a même pas remarqué que le permis que je lui ai montré n'est pas à mon nom.»

Là-dessus, il éclata de rire et passa sèchement la première.

Au virage suivant, deux autres clients firent signe à l'autobus de s'arrêter et montèrent. Le service normal reprenait.

J'ai passé une grande partie du trajet à sommeiller. Refaisant brièvement surface, dans la nuit, j'aperçus une montagne qui luisait sous la lune. Je la reconnus immédiatement. Le jeune Toraja, à côté de moi, était réveillé aussi.

«N'est-ce pas là que, du temps des ancêtres, une échelle reliait le paradis à la terre?»

Il jeta un coup d'œil et haussa les épaules avec indifférence.

«Peut-être. Mais nous, nous l'appelons "la montagne porno". Si vous regardez les rochers, l'homme est ici et la femme, là!»

L'arrivée à Rantepao me donna l'impression de rentrer chez moi. La ville laide et accueillante. Tous ces gens gais et décontractés. À l'hôtel, Johannis et un homme grand et maigre dormaient dans un fauteuil, appuyés l'un contre l'autre, la bouche ouverte. Cela me réchauffa le cœur de les voir.

L'ami de Johannis s'appelait Bismarck. Je mourais d'envie de le présenter à Hitler, mais je suppose qu'ils

210

n'auraient pas saisi l'humour de la chose. À l'en croire, Bismarck avait mené une vie d'aventurier. Il appartenait à la noblesse toraja, ou, selon ses propres termes, à la « classe d'or ». Cela marquait son comportement. Quand il parlait à des non-Torajas, il était naturel et décontracté. Mais avec les Torajas, il prenait immédiatement un air guindé et s'adressait à eux à la troisième personne, quand il ne les ignorait pas complètement.

À une certaine époque, il avait trafiqué des substances illégales à Djakarta, puis il avait importé de la pornographie avec la complicité d'amis étrangers, mais il avait fini par se dégoûter lui-même, et il était revenu à Toraja, où il passait désormais le plus de temps possible dans la forêt. Il était maintenant négociant en antiquités « volées », mais il semblait sincèrement pratiquer cette profession avec de hauts principes moraux.

« C'est ainsi... expliqua-t-il. Les gens qui viennent ici sont prêts à payer un million de roupies pour une effigie de tombe. Imagine ce qu'une telle somme représente pour un simple fermier. Ses enfants peuvent aller à l'école et avoir un avenir. Et pour lui, c'est la sécurité. Vu qu'il est probablement chrétien, il considère les effigies de tombe comme une mauvaise chose. S'il est païen, il peut vendre la vieille effigie et en acheter une nouvelle tout en réalisant un bon bénéfice. Même les ancêtres approuvent. On leur demande toujours. Tout le monde est content. Mais le gouvernement a interdit tout ça parce qu'il craint que les touristes ne viennent plus si les effigies sont vendues. La famille s'arrange donc pour que ces objets soient "volés" et cédés à Bali ou à Londres. Ils viennent me voir parce que j'ai des contacts. Ce n'est pas moi qui vais les chercher. Ils connaissent ma famille et ils me font confiance. Je prends un pourcentage et je veille à ce qu'ils ne soient pas roulés. J'insiste *toujours* pour qu'ils attendent un mois après leur décision, pour le cas où ils changeraient d'avis. Souvent, je traite avec des musées. Peut-être que le tien n'achète pas, mais les musées américains, oui. J'ai beaucoup d'amis dans les musées américains. De toute manière, je pense que vous êtes probablement tous pareils. Vous voulez récupérer les belles choses, les mettre dans des boîtes et les expédier. Maintenant, veux-tu m'accompagner chez moi pour que je te les montre?

— J'adorerais les voir, mais tu sais que je ne peux pas les acheter. Tout objet de plus de cinquante ans nécessite une autorisation. C'est la loi.

— Oui, c'est la loi. Mais viens quand même. J'aime montrer ça aux gens qui l'apprécient. »

Sa maison était un véritable trésor d'artefacts anciens et étranges — rouets, portes, chapeaux, chaussures. Il m'expliqua leur fonctionnement avec une immense fierté. Il se coiffa d'un chapeau de prince et s'assit avec dignité; il s'empara d'une lance et se transforma en guerrier; il sortit un récipient à noix d'arec et se mit à mâcher comme un vieux villageois. Au cours de son numéro, sa fille minuscule surgit, déguisée avec une belle robe rose pelucheuse et une couronne en papier doré. Ils se regardèrent et rigolèrent.

« Ah oui! Elle va à un anniversaire. »

Bismarck la prit sur ses genoux, les yeux pleins d'amour.

« Un jour, me dit-il, tu m'accompagneras dans les collines. Je t'emmènerai dans des endroits dont personne n'a entendu parler. Je le sens dans mes os. Je ne me trompe pas sur ces choses. J'ai vu le Seigneur de la Forêt.

— Le Seigneur de la Forêt?

— Oui. Tu ne le trouveras dans aucun de tes livres d'anthropologie sur la religion des Torajas, mais dans les villages, nous le connaissons tous. Moi qui ai été élevé dans la religion chrétienne, je lui ai parlé. C'est une des raisons pour lesquelles je suis revenu aux anciennes coutumes.

— Comment est-ce arrivé?

— Eh bien je vais te le dire. Je voulais le rencontrer

212

juste pour savoir s'il existait vraiment. Je suis resté trois nuits dans la forêt, tout nu, à attendre. La première nuit, j'avais bu et rien ne s'est passé. La deuxième nuit, j'avais mangé normalement. La troisième nuit, j'avais jeûné. Et soudain il fut là.

— À quoi ressemblait-il ?

— À un très vieil homme. Son corps n'avait pas de moitié inférieure. Il flottait sur une espèce de brume et il m'a parlé. "Que veux-tu ?" m'a-t-il demandé. "Rien, ai-je répondu. Je voulais juste voir si vous étiez réel." Imagine ! (Il se frappa le front.) Je pourrais être riche aujourd'hui, si j'avais dit ce qu'il fallait, mais je voulais juste savoir. Ne t'inquiète pas, a-t-il promis, je veillerai toujours sur toi, dans ma forêt. Et l'instant d'après, il avait disparu. Et *puis*, subitement, j'ai eu la trouille. (Bismarck éclata de rire.) Je suis sorti des arbres en courant aussi vite que j'ai pu et je me suis caché dans la maison en tremblant de peur. Mais maintenant, tu vois, je suis fort, parce que j'ai une certitude. »

Nous avons entendu un curieux grattement, dehors. Bismarck posa sa fille, alla à la porte et j'entendis un murmure de conversation. Il revint en riant.

« Il y a un vieil homme qui te demande. Il a demandé Pong Bali. *Pong,* c'est comme *puang*[1]. C'est notre mot pour seigneur. On a donc un nom pour toi, maintenant : Pong Bali. Ne t'inquiète pas. Ce n'était pas le Seigneur de la Forêt. »

Je sortis. C'était Nenek. Il refusait d'entrer. Ce ne serait pas convenable. C'était la maison d'un noble, et soudain il se montrait timide. Il avait parcouru à pied la trentaine de kilomètres qui le séparaient de la ville pour acheter des noix d'arec, mais il n'avait pas d'argent. Peut-être pourrais-je lui en donner ? La simplicité de l'idée la rendait irrésistible. Mais autre chose le tracassait.

1. En anglais, puanteur. *(N.d.T.)*

213

«Je n'ai pas réussi à dormir. Vous m'avez promis un buffle. Mais quelqu'un dans le village a dit qu'un buffle ne paierait même pas le billet pour l'Angleterre.

— Nenek, le buffle est pour *vous*. C'est à nous de payer votre voyage et de veiller sur vous quand vous serez là-bas. »

Le soulagement se lut sur son visage. Quand partions-nous pour l'Angleterre? Si c'était tout de suite, il faudrait acheter beaucoup de noix d'arec.

«Voilà un vieil homme de qualité, affirma Bismarck avec autorité en le regardant s'éloigner. Tu travailles avec lui? »

Je lui ai parlé de l'exposition.

«Je suis ravi. Pour une fois, les gens qui fabriquent les choses vont toucher l'argent, et non pas des escrocs et des marchands dans mon genre. Je possède une grande maison ici, beaucoup de terre. Si tu as besoin d'aide ou si tu veux entreposer des choses, je t'aiderai. Gratuitement. »

J'avais du mal à considérer Bismarck comme un escroc. Peut-être, à bien y réfléchir, n'avait-il pas grand-chose à voir avec Hitler.

Johannis et moi, nous sommes retournés à Baruppu', et nous avons découvert que la fille de Nenek était rentrée aussi à la maison. Elle avait toutes les caractéristiques d'une chrétienne toraja méritante que, désormais, je savais reconnaître. Nenek et moi, nous partions vagabonder pour échapper au poids de sa vertu, et nous discutions des anciennes coutumes. Le soir, nous jouions à une espèce de jeu de société : lui et ses voisins exhumaient d'anciens biens de famille, ou même de vieux objets de la vie quotidienne, et ils en parlaient.

Nenek était particulièrement fier de son plat à riz, haut de près d'un mètre, dont le pied était un os de buffle blanchi, prérogative d'un *to minaa*. Un autre homme possédait de magnifiques plats à légumes en bois, sculptés de têtes de buffles. Un troisième conservait des épées et des étoffes anciennes.

« Ce ne sont pas des jouets, expliqua Nenek. Elles apportent la richesse à une maison. Nous en avons besoin pour nos fêtes. »

Il se lança alors dans le récit édifiant d'une étoffe ancienne qui avait été vendue et avait porté malheur à tout le monde, jusqu'à son retour dans la maison à laquelle elle appartenait. Puis il exhiba une fourrure carrée très douce et très épaisse d'où pendaient deux cordons.

« Qu'est-ce que c'est ? » dis-je.

Je la tournai dans tous les sens. Johannis la tâta d'un air interrogateur. Puis un sourire fendit son visage.

« Je sais. »

Il la plaça délicatement sur sa tête comme un postiche et noua les cordons. Un grand rire secoua Nenek et ses amis accroupis sur leurs talons. D'un geste sûr, Nenek l'ôta de la tête de Johannis, la glissa sous ses fesses et s'assit dessus.

« Jadis, les Torajas n'avaient que des rochers pour s'asseoir. Alors on se servait de ça. »

Il sortit un autre objet étrange, long et pointu, avec des renflements bulbeux aux deux extrémités. C'était de l'os ou du bois très dur. Cela ressemblait un peu à l'un de ces champignons que les femmes utilisaient jadis pour repriser les chaussettes. Je secouai la tête. Une fois encore, Johannis se jeta à l'eau :

« Ça sert à réparer les trous dans les chaussettes. »

Nenek et moi nous sommes moqués d'une idée aussi naïve.

C'était, expliqua Nenek à voix basse, l'arme secrète des Torajas contre les mâles bugis. J'échangeai un regard interdit avec Johannis, tandis que Nenek se réjouissait de notre perplexité. Il raconta en gloussant qu'il s'agissait d'une barre de pénis : fixée sur le membre masculin, elle rendait les femmes torajas folles de plaisir. Voilà pour-

215

quoi, dans l'ancien temps, les femmes torajas qui couchaient avec un homme du coin n'auraient jamais regardé un Bugi, même s'il avait un long nez. Johannis se tut et parut songeur.

Je fus surpris d'apprendre que Nenek avait une épouse dans une autre partie du village.

« Nous ne vivons plus ensemble, dit-il. Elle est devenue chrétienne. Tous mes enfants sont devenus chrétiens. Je suis le dernier qui reste. Mais ils continuent d'insister. Je leur dis que je suis né dans cette religion et que je mourrai dans cette religion. »

La tolérance de Nenek était étonnante.

« C'est l'école qui leur donne cette religion, déclara-t-il. S'il n'y avait pas l'école, personne ne changerait, mais l'école, c'est bien aussi. Sans elle, nous serions tous ignorants comme dans l'ancien temps. »

C'était triste de penser qu'à sa mort l'ancienne religion disparaîtrait aussi à Baruppu'. Plus personne ne voulait assumer le fardeau d'apprendre par cœur les milliers de vers qui constituaient le savoir d'un prêtre. Difficile de ne pas voir en Nenek le camp retranché de la tradition. Et pourtant, il s'était frotté au monde moderne. Jadis, il avait été négociant en café. Pendant l'occupation japonaise, il avait caché des Indonésiens d'origine chinoise au village. Il avait appris à parler l'indonésien, à lire et à écrire, en envoyant ses petits-enfants à l'école et en les faisant répéter, chaque soir, ce qu'on leur avait enseigné dans la journée. Il avait pris ce qui l'intéressait dans notre époque et laissé le reste. Mais Tana Toraja était un endroit où l'opposition entre tradition et modernité était un cliché difficilement soutenable : les revenus du tourisme et des emplois dans l'Indonésie du xxᵉ siècle alimentaient l'inflation rituelle qui touchait, semblait-il, toute la région. Des gens qui n'auraient pu se permettre de somptueuses funérailles dans l'ancien temps se les offraient aujourd'hui, convertissant ainsi leur argent en statut — un peu comme ces industriels anglais du XIXᵉ siècle qui dépensaient des fortunes dans de ruineuses propriétés de campagne. Même des obsèques chrétiennes exigeaient la présence d'un *to minaa* dont la sagesse traditionnelle était diffusée par haut-parleur. Et pourtant, le chef du village fut horrifié lorsque je lui parlai de mon projet d'emmener Nenek à Londres.

«Vous ne pouvez pas faire ça, dit-il. Ce n'est pas juste. Il n'est même pas allé à l'école! *Moi*, oui. Je connais les noms de presque toutes les gares de Hollande.»

Quand j'ai retrouvé Nenek, ce jour-là, je lui ai demandé :

«Qu'arriverait-il, Nenek, si vous veniez en Angleterre? Plus personne ne pourrait fixer le temps des cérémonies de la mort. Personne ne pourrait autoriser la construction des maisons.»

Il éclata de rire.

«Ce n'est pas un problème. Dans l'ancien temps, on suivait les étoiles, pas le calendrier. Je suis celui qui décide quand les étoiles conviennent. Je peux le faire quand ça me plaît. Allons-y, c'est tout. Mon corps est vieux mais mon cœur est jeune. J'adore la nouveauté.»

Il était temps pour moi de prendre congé. J'avais déjà réussi à obtenir une prolongation de mon visa, et je ne pourrais pas en avoir une seconde. Nenek et Johannis m'accompagnèrent jusqu'au bout de la vallée. Les Torajas n'ont pas honte des larmes, et ce fut à qui de nous trois pleurerait le plus.

«Si Nenek vient, Johannis, tu dois venir aussi.»

Il sourit.

«Si Dieu ouvre la voie.»

Il y avait un magnifique arc-en-ciel au-dessus de la vallée — une guimauve que seule une déité, ou Hollywood, oserait se permettre.

«Ça signifie bonne chance», dit Nenek.

Je me suis demandé si je les reverrais jamais.

CHAPITRE XI

Le match retour

Pour une fois, mon pessimisme n'était pas de mise. Rapporter à Londres jusqu'à la dernière brindille des matériaux nécessaires à la construction d'un grenier à riz ne demanda que deux ans et cinq voyages à Sulawesi. La cargaison comprenait, entre autres, les pierres qui, broyées, fourniraient les pigments; et aussi le rotin pour le toit et la plus grosse quantité de bambous que j'eusse jamais vue. Alors seulement, nous avons pu inviter quatre sculpteurs pour le bâtir dans une galerie du Museum of Mankind [1], au cœur de la capitale. Nous avons eu beaucoup de mal à nous assurer qu'il ne passerait pas à travers le plancher (les gens n'ont pas l'habitude de peser les greniers à riz) ni qu'il ne percerait pas le plafond. J'ai connu, en cours de route, de grandes périodes de désespoir.

Quand je suis revenu à Sulawesi pour la première fois porteur de l'excitante nouvelle que le projet était sur les rails, Nenek ne m'a tout simplement pas reconnu. Je m'étais souvent joué cette scène dans ma tête. Il pleurerait, bien sûr. Moi aussi, probablement. Mais un an s'était écoulé depuis notre rencontre et tous les *puttymen* se ressemblent.

«Il m'est impossible de vous accompagner à Londres.

1. Le musée de l'Homme de Londres. *(N.d.T.)*

L'année dernière, un drôle de Hollandais est venu. J'ai promis que j'irais avec *lui*. »

Il y eut un autre mauvais moment à passer, lorsque le camionneur censé transporter les matériaux entre le village et Rantepao essaya de renégocier le contrat pendant le trajet et finit par déverser tout notre chargement au bord de la route. Il y avait urgence à le déplacer avant les premières pluies. Ensuite, les difficultés se sont accumulées, au point que je me suis retrouvé à Ujungpandang avec deux énormes camions de bois, nulle part où les entreposer, un bateau qui partait le lendemain et pas un cent pour payer un seul salaire. Avant de pouvoir embarquer nos matériaux nous avons dû les faire inspecter et remettre des documents détaillés à trois reprises. Nous avons terminé à dix heures du soir, sous la pluie, à essayer de photographier dans le noir toute la cargaison étalée sur la route.

Un minibus s'est arrêté, dont Nenek a sauté avec toute la vitalité de ses quelque soixante-dix ans.

« Je suis venu vous donner un coup de main pour décharger le bois, annonça-t-il. On part pour l'Angleterre maintenant ? »

Seul le soutien stupéfiant de nombreux Torajas anonymes a permis de triompher de toutes ces difficultés. Ils ne m'aidaient pas parce qu'ils étaient payés ou parce que c'était leur travail de le faire, mais parce qu'ils voyaient que j'en avais besoin. Le coup de grâce fut la dévaluation de la monnaie indonésienne au beau milieu de l'opération. Loin d'être une aubaine inattendue, cela faillit tout anéantir, car les banques refusèrent de changer de l'argent pendant près de deux semaines. L'hôtelier toraja adopta l'attitude typique lorsque je lui avouai mon manque total de fonds et mon obligation de partir sans payer. Il haussa simplement les épaules.

« Je sais que vous m'enverrez l'argent dès que vous pourrez. »

Les pièces d'identité posèrent un problème majeur. Il est très difficile d'obtenir des autorisations de voyage pour un homme qui ne sait même pas son âge. Les formulaires à remplir semblaient obstinément inadaptés à des sculpteurs d'une montagne d'Indonésie. Numéro de téléphone? Diplômes? Revenus? Deux d'entre eux furent même incapables de se souvenir du nom et de l'âge de leurs enfants. Ils calculèrent que l'un en avait huit et l'autre sept, mais ils ne connaissaient ni l'année ni l'ordre dans lequel ils étaient nés. Seules les femmes savaient ce genre de choses.

Nenek compliqua encore la situation en modifiant à mi-parcours la composition de l'équipe qui devait l'accompagner, si bien que, lorsque je suis revenu à Baruppu', le village était divisé en deux factions rivales qui se sentaient lésées et attendaient de me voir remettre les choses en place. Puis il y eut les anicroches prévisibles. Il est toujours délicat d'embarquer des lances et des épées dans un avion, et pourtant elles faisaient partie de la tenue de prêtre de Nenek et il n'était pas question pour lui de s'en séparer. D'autres problèmes inattendus se posèrent à Java, où le terme *Nenek* ne pouvait s'appliquer qu'à des femmes âgées et où le département de l'Immigration n'était pas préparé à voir un homme s'appeler ainsi.

Néanmoins, presque subitement, ils se retrouvèrent chez nous, en pleine «saison chaude» anglaise, avec le vent et la pluie qui se déchaînaient à l'extérieur. Puisque j'avais habité chez eux à Tana Toraja, ils allaient loger chez moi en Grande-Bretagne; ce n'était que justice.

Ces sculpteurs étaient une histoire de Tana Toraja en miniature. Nenek, soixante-dix ans, grand prêtre de l'ancienne religion, assumerait la direction générale des opérations. Tanduk, un chrétien affable et bien enveloppé d'un peu plus de quarante ans, se chargerait de la majeure partie du gros œuvre. L'irascible Karre, environ trente-cinq ans, chrétien lui aussi, réaliserait la plupart des sculptures et le toit. Non sans raison, il était surnommé «le buffle». Johannis, païen moderne et désormais étudiant en anglais, servirait d'interprète et d'intermédiaire.

Dès le départ, ils s'adaptèrent incroyablement à tout. En tant que sculpteurs, ils étaient habitués à l'idée de travailler loin de leurs foyers et de leurs familles. Johannis était le seul à avoir vécu en ville, mais Nenek était déjà monté une fois dans un avion et il adorait ça. Les jouets technologiques ne les impressionnaient guère. Il est vrai qu'ils découvrirent avec stupeur que les téléphones anglais permettaient à des gens de se parler en indonésien et qu'ils ne se lassèrent jamais de les utiliser. Ils ont adoré le chauffage central (moi aussi) : je l'avais fait installer en prévision de leur visite. Mais les gadgets électroniques, qu'un profane ne peut espérer comprendre et doit se contenter d'accepter, sont moins intéressants que les capacités humaines. Alors qu'ils étaient venus étonner les Anglais par leur art de sculpteurs sur bois, ils étaient fascinés par la pose des briques sur les chantiers — la vitesse, l'économie de mouvements des ouvriers qualifiés. Il était toujours difficile de passer avec Nenek devant un bâtiment en construction. Il parcourait le chantier à grands pas en posant des questions. «Qu'est-ce que c'est?» «Pourquoi font-ils ça?» «Combien coûte une grue?»

Leur problème avec certaines nouveautés venait de ce qu'ils les assimilaient à l'équivalent indonésien qu'ils connaissaient. S'il est normal de rester debout au milieu d'une salle de bains toraja et de s'asperger d'eau, la même chose peut se révéler désastreuse dans son pendant anglais. Ils n'avaient aucun problème pour *ouvrir* les robinets, mais ils ne pensaient jamais à les *fermer,* puisqu'à Tana Toraja l'eau se contente de jaillir en permanence d'un tuyau de bambou. Ils ne m'ont jamais vraiment cru quand je leur disais qu'ils ne risquaient rien à boire l'eau du robinet sans la faire bouillir et ils ont continué à prendre cette précaution en cachette.

J'avoue avoir remarqué avec un certain plaisir qu'ils trouvaient tout aussi impossible de traverser une rue anglaise que moi une rue indonésienne, mais je me suis rapidement aperçu aussi que je développais une paranoïa parentale. Je me surprenais à élaborer des itinéraires où ils auraient le moins possible de rues à franchir, ou à repérer les trous dans les trottoirs pour Nenek. Le trajet le plus court devenait un cauchemar de dangers et de pièges imaginaires pour leurs pieds innocents. J'avais parfois l'impression qu'ils m'avaient été uniquement envoyés pour me faire subir ce que j'avais fait endurer à mes parents lorsque j'étais enfant.

« Venez manger ! disais-je.

— Oui », répondaient-ils.

Quinze minutes plus tard, ils étaient toujours en train de sculpter.

« Dans dix minutes, nous partons », les avertissais-je.

Et au moment de s'en aller, ils étaient encore en sarong à regarder la télévision.

Au début du siècle, l'anthropologue américain Boas emmena des Indiens Kwakiutls à New York. Apparemment, les gratte-ciel et les voitures ne les impressionnèrent pas. Seules les femmes à barbe de Times Square et les pommes des rampes d'escalier des meublés frappèrent leur imagination. Il est impossible de deviner ce que les représentants d'une autre culture vont trouver remarquable dans la vôtre.

Le premier choc de mes invités fut de découvrir que tous les Britanniques n'étaient pas blancs. Pour eux, les Antillais ressemblaient à des habitants d'Irian Jaya, la moitié indonésienne de la Nouvelle-Guinée, aussi s'attendaient-ils à les entendre parler indonésien. Chinatown ne les surprit pas. « Les Chinois sont bons en affaires. Ils vont partout. » Ils prenaient les Indiens pour des Arabes. L'expérience la plus mortifiante fut pour eux de constater qu'il n'existait pas de case « Indonésien » dans les catégories ethniques anglaises et qu'on les considérait comme des Chinois.

Leur deuxième choc fut d'apprendre que tous les Européens n'étaient pas riches. D'accord, ils avaient croisé à Tana Toraja de jeunes *puttymen* qui jouaient aux pauvres, mais tout le monde savait qu'ils dissimulaient sur eux des sommes d'argent plus importantes que ce que verrait jamais un fermier toraja au cours de son existence. Pourquoi n'avais-je ni serviteurs, ni voiture avec chauffeur ?

Ils furent affligés aussi par les poivrots qui traînaient dans les rues de Londres, car ils n'avaient pas l'habitude des situations où l'on fait semblant de ne pas voir des gens qui hurlent derrière vous. Ils furent tout aussi atterrés que nos tories de constater que certaines personnes pouvaient ne pas avoir de travail et recevoir tout de même de l'argent du gouvernement. Ils avaient certainement mal compris ? Ces personnes n'étaient-elles pas titulaires d'une pension militaire ? N'avaient-elles pas à un moment ou à un autre servi dans l'armée ? Ne touchaient-elles pas cet argent pour leurs blessures ?

Ils étaient arrivés chez nous pendant une période d'intense activité politique, quelques jours seulement avant des élections législatives, et ils furent abasourdis par notre manque de considération envers nos politiciens. Ils passaient leur temps à s'exclamer :

« Nous irions en prison pour ça ! »

Il ne faut toutefois pas croire qu'ils enviaient notre liberté. Pour eux, cela apparaissait plutôt comme un manque d'ordre, un défaut d'organisation pénible et répréhensible. Johannis résuma promptement la chose :

« Je constate que l'Angleterre est un endroit où personne ne respecte personne. »

La position de la reine les laissa également perplexes. Comme beaucoup d'étrangers, ils avaient du mal à imaginer le lien unissant une femme Premier ministre et une souveraine, et ils en concluaient inévitablement que seules des femmes étaient éligibles à des postes de pouvoir dans cet étrange pays.

« C'est comme les Minangkabaus de Sumatra [1], ont-ils remarqué, trouvant l'exemple ethnographique approprié. Les femmes possèdent tout et elles envoient les pauvres hommes travailler pour elles à l'étranger. Vous êtes exactement comme eux. Nous sommes désolés pour vous. »

Ils comprenaient mal les différences entre les fonctions de souveraine et celles de Premier ministre. Ils ne cessaient de me demander pourquoi la reine n'avait pas postulé à un poste politique. Le fait que je n'aie pas sa photo sur un mur comme, en Indonésie, on a le portrait du président les tracassait aussi.

J'avais fait certaines concessions au mode de vie toraja. Il m'était plus facile de changer que de leur demander de le faire. Les lits étaient trop mous. Ils préféraient des matelas sur le sol. Au lieu de s'installer dans les différentes chambres de la maison, ils avaient préféré dormir dans la même. « Si nous faisons un cauchemar et que nous sommes seuls, qui nous réconfortera ? » L'habitude de Nenek de mâcher de la noix d'arec rendait les crachoirs indispensables. Mais on se procure difficilement des crachoirs à Londres.

Les premiers jours, deux choses les troublèrent par-dessus tout : le silence sinistre dans lequel vivaient les Anglais et le papier toilette. Où étaient les bruits des lecteurs de cassettes, les coups de klaxon, les appels des vendeurs de rue, les cris d'enfants ? Ils n'arrivaient pas à dormir la nuit. On n'entendait que les chouettes, toujours terrifiantes, associées à la sorcellerie. Pour les Torajas, la marque d'une bonne maison et d'une famille heureuse, c'est l'agitation, les enfants et un flot perpétuel de visi-

_____

1. Puissante ethnie matriarcale. *(N.d.T.)*

teurs qui rendraient fou un Occidental. Ils finirent par faire hurler de la pop music pour s'endormir.

Quant au papier toilette, ils n'avaient purement et simplement jamais entendu parler d'une chose plus infecte. Le manque d'hygiène européen les choquait profondément.

« Les Anglaises sont très jolies, me dit Tanduk, mais quand je pense au papier toilette et à quel point elles sont sales, ça me dégoûte. »

Nos positions étaient soudain inversées jusqu'au ridicule. Je suis devenu *leur* informateur qui essayait d'expliquer *sa* culture en répondant à *leurs* questions incessantes. Ils ont souvent trouvé mes explications insuffisantes, ce qui n'a rien d'étonnant. L'un des éléments de l'exposition était un épouvantail à oiseaux toraja mû par l'eau. L'eau qui coule d'un niveau à un autre dans leurs rizières en terrasses actionne un astucieux mécanisme pivotant qui produit un bruit violent, suffisant pour effrayer les oiseaux et autres prédateurs. Au pied de notre version, il y avait un bassin. Tous les jours, les gens y jetaient des pièces, ce qui intrigua Nenek. Pourquoi faisaient-ils cela ? Pensaient-ils qu'un esprit de la terre y vivait ? Je fus incapable de l'éclairer vraiment à ce sujet. « Ils le font parce que ça porte bonheur », ou « C'est notre coutume ». Aucune des deux réponses ne l'a satisfait. Il faisait le tour de la galerie tous les jours pour le contempler et demander la valeur de chaque pièce, en marmonnant sa stupéfaction.

« Quand je serai vieux, disait-il en secouant ses mèches grises, je viendrai vivre ici et je creuserai des bassins pour que les gens puissent jeter leur argent dedans. »

Nous nous rendions au musée tous les matins en métro. Ils aimaient beaucoup ça et ils sont très vite devenus des spécialistes de ce mode de transport. Les autres passagers s'inquiétaient parfois en les voyant monter dans le wagon avec les pièces de bois qu'ils avaient tenu à

226

sculpter à la maison la veille au soir. Au début, Nenek eut quelques difficultés avec les escaliers roulants. Alors qu'à Tana Toraja il pouvait traverser en courant un pont en rondins graisseux que je devais, moi, franchir à quatre pattes, il avait du mal à conserver son équilibre dans des escaliers ou dans un train en mouvement. On trouva vite la source du problème : les chaussures. Elles sont, en Indonésie, la marque d'une tenue habillée — l'équivalent de notre cravate. Les paysans ne mettent rien — ou de simples sandales. Mais les personnes qui ont passé la majeure partie de leur vie ainsi ont des pieds très larges et souffrent quand ils les enferment dans des souliers. Lorsque j'ai réussi à le convaincre de ne plus les porter, Nenek a marché beaucoup mieux et a cessé de chanceler dangereusement dans les escaliers roulants.

Alors qu'ils pouvaient rejoindre et quitter leur lieu de travail tout seuls, ce fut Johannis qui se vit implicitement chargé du rôle d'intermédiaire avec le monde extérieur. Ils attendaient de *lui* qu'il mémorisât le plan du métro, les techniques d'utilisation des téléphones publics, et les moyens de repousser les attentions des poivrots. Le deuxième soir, nous l'avons perdu dans la foule, à Piccadilly. Impossible de le retrouver, malgré nos recherches désespérées. À notre retour à la maison nous avons découvert qu'il était arrivé avant nous, en métro, sans l'aide de personne. Ça m'a impressionné.

Dans leur souplesse fondamentale, une seule chose, semblait-il, n'était pas négociable : il leur fallait du riz trois fois par jour. Mes tentatives d'ouverture à d'autres formes de nourriture sous forme de spaghettis ou de nouilles ont échoue. Ils essayaient tous ces plats avec une profonde répugnance, sans jamais se plaindre — mais sans les manger non plus. Je n'ai pas tardé à abandonner toute velléité de varier le menu. Les pommes de terre et les choses de ce genre étaient acceptables, mais toujours pour accompagner du riz, et non pour le remplacer. Cela signifiait que les journées commençaient vers six heures du matin par la cuisson du riz. Les trois mois de leur séjour m'apparaissent aujourd'hui à travers les vapeurs de ce riz. Une maison occidentale est étrangement mal adaptée à cette céréale. Au bout de quelques semaines, elle bouchait les éviers et les tuyaux d'évacuation, et le sol était tout poisseux. En matière de gastronomie, le poulet est le luxe suprême des Torajas ; ils ne s'en lassent jamais. La croustade de poulet était pour eux le plat anglais le moins répugnant. La « croustade » est une notion très britannique, déjà difficile à traduire dans certaines langues européennes. Johannis l'appelait le « gâteau de poulet ».

Avant l'ouverture de l'exposition, il était important que le futur grenier à riz ressemblât au moins à un chantier, et pas à un simple tas de bois. Les sculpteurs se mirent au travail de bon cœur. Les matériaux de base amenés jusqu'ici étaient de grosses poutres et des tuiles de bambou pour le toit. Les Torajas sont très snobs, question tuiles. Les bâtisseurs de Baruppu' regardaient de haut ceux de la vallée qui sciaient leurs tuiles au lieu de les trancher comme de vrais hommes, à grands coups de machette. D'après eux, les tuiles coupées à la scie pourrissaient trop rapidement. Ils commencèrent par édifier la caisse centrale du grenier, la partie qui reposerait sur les pilotis et supporterait le toit. C'est merveilleux de voir un charpentier toraja tracer une ligne sur un gros tronc d'arbre, puis transformer celui-ci en planches dans un vrombissement de machette. Les Torajas observèrent les outils électriques en action et décidèrent que, dans la plupart des cas, leurs propres techniques étaient plus rapides.

Une fois achevée, la caisse serait démontée, peinte en noir, sculptée, colorée et reconstruite dans sa position définitive au sommet des pilotis. En attendant, c'était un vestiaire pratique, vu qu'ils devaient travailler pieds nus. Pour sculpter, les pieds sont aussi importants que les mains. Ils servent à immobiliser et à stabiliser la pièce de bois que l'on façonne. La galerie du musée se transforma rapidement en un chantier de construction convaincant, où l'on s'enfonçait jusqu'aux genoux dans les copeaux, les théières et les tasses.

Beaucoup d'efforts ont été accomplis ces dernières années pour donner un peu de vie à nos musées, pour que ces banques glaciales du monde de l'art deviennent des lieux agréables et instructifs. Le grand ennemi de cette évolution, c'est la vitrine. Indispensable à sa manière, elle isole néanmoins les objets, elle les tue. Tout conservateur sait que l'exposition dans laquelle tous les gens veulent entrer est justement celle dont il essaie de les tenir à l'écart, parce qu'elle est encore en préparation. Tout comme les répétitions sont en général plus intéressantes que les représentations elles-mêmes, une exposition en cours d'installation est autrement plus amusante que le produit final figé. Les Britanniques sont vraiment fascinés par les chantiers : sur bon nombre d'entre eux, on offre même des plates-formes qui permettent au public de profiter du spectacle. Pour toutes ces raisons, l'exposition toraja paraissait une idée évidente.

Les Torajas se sont vite habitués à avoir des spectateurs pendant qu'ils travaillaient, et bientôt, nous avons eu des « réguliers », des visiteurs qui venaient plusieurs fois par semaine pour constater leurs progrès. Dès le départ, Nenek adora la chose. Dans sa propre culture, il a déjà beaucoup d'une vedette, d'un acteur, et il est conscient de la dignité de sa position.

Pourtant, dès le début, nous avons eu des problèmes.

Les deux autres sculpteurs étaient des parents de Nenek. Leurs liens exacts avaient été déformés et simplifiés. Toute tentative de les démêler butait sur un « Nous formons une seule famille ». À cause de son âge et de son statut de prêtre, cependant, Nenek s'attendait à un grand respect. Tanduk et Karre avaient été ses élèves. Ils étaient désormais des constructeurs indépendants, mais ils s'étaient retrouvés pour les besoins de cette exposition. Nenek les considérait comme ses «étudiants», revenus travailler sous sa direction. Mais eux, ils voyaient les choses autrement.

Le premier problème vint, comme au théâtre, de la place sur l'affiche. Autour du site du grenier à riz, des panneaux expliquaient l'entreprise et montraient les premières étapes de la collecte des matériaux bruts en Indonésie. Karre nota que Nenek y apparaissait plus souvent que lui. Dans sa tenue de grand prêtre, celui-ci servait même à faire la transition avec la principale exposition photographique qui illustrait le contexte. On y voyait aussi Tanduk sur un cliché du marché et Karre demanda pourquoi, lui, il n'était nulle part. Il ne s'est guère calmé quand je lui ai fait remarquer qu'on y voyait beaucoup ses enfants. La plupart des enfants du village semblaient être les siens.

Plus tard, Nenek a tenu à affirmer son autorité : il a retaillé une pièce déjà travaillée par Karre. La dispute concernait la forme, droite ou courbe, que devait avoir une « corne», une contrefiche en saillie du grenier. Dès lors, les querelles se sont succédé — une véritable guerre froide. On avait l'impression que Nenek et Karre ne se reparleraient plus et qu'une atmosphère inamicale régnerait désormais dans la galerie. Par chance, notre culture a une vision irrémédiablement romantique du tiers-monde. Un critique a commenté le merveilleux esprit de coopération qui permettait à ces gens de travailler ensemble sans avoir besoin d'échanger un mot, et il a exprimé l'espoir qu'il en serait ainsi, un jour, sur les chantiers anglais.

Nos invités avaient du mal aussi à comprendre les habitudes de travail britanniques. À Tana Toraja, les constructeurs œuvraient de l'aube au crépuscule jusqu'à l'achèvement de leur tâche. Ils n'avaient jamais besoin non plus de calculer précisément les quantités de matériaux, vu que ceux-ci poussaient un peu plus haut dans la colline. Normalement, les constructeurs dormaient sous le grenier qu'ils construisaient, enroulés dans leurs capes. Ils ne comprenaient pas pourquoi ce n'était pas comme ça aussi en Angleterre. Il était impossible de les faire s'arrêter à dix-sept heures. À cette heure-là, chez nous, il fait encore jour. Contrairement à l'Indonésie, où le soleil se couche vers dix-huit heures quelle que soit la saison, il y avait encore longtemps de la lumière. Pourquoi alors auraient-ils dû poser leurs outils?

Le dimanche, d'accord, ils pouvaient comprendre. C'était pour aller à la messe si vous étiez chrétien — ou, en Angleterre, pour regarder la messe à la télévision, ce qui était encore mieux. Mais ne rien faire le samedi était monstrueux. Ils se levaient dès qu'il faisait jour, bien entendu, et ils attendaient de tous les Anglais qu'ils soient au travail à l'heure où ils l'auraient été chez eux.

Le grenier à riz grandissait peu à peu, et même très vite, à certains moments, quand ils emboîtaient des sections préparées à l'avance. Karre se révéla une implacable machine à sculpter, débitant des formes géométriques, panneau après panneau. À son grand déplaisir, toutefois, seul Nenek savait produire les motifs en courbes souples, asymétriques et réellement compliqués, pour les poutres principales. Nenek ajoutait à son inconfort en mâchant frénétiquement de la noix d'arec, sachant que Karre était un fumeur et que c'était interdit ici. En outre, les visiteurs voyaient en Nenek un sculpteur bien plus sympathique que Karre. Moins préoccupé par la vitesse, il était toujours prêt à sourire ou à demander à Johannis de lui servir d'interprète pour pouvoir parler avec les gens. Johannis, de son côté, éprouvait un plaisir évident à surprendre les visiteurs avec son anglais et à montrer aux jeunes filles comment on peignait.

Quand ils rentraient à la maison le soir, les sculpteurs prenaient un bain et mangeaient, bavardaient, regardaient la télévision. Ils appréciaient beaucoup la bière, qu'il était si difficile de se procurer à Baruppu'. Nenek s'offrait tous les jours une cuillerée du « médicament » qu'il en était venu à apprécier. Il avait rapidement convaincu les gardiens du musée que le « médicament » en question était un présent approprié, et il commençait à se faire une cave.

Mais bientôt, ils se remettaient à sculpter. Nenek a construit une petite table en bambou dans le jardin. Quand le temps le permettait, il travaillait là. C'était une étrange scène à la Robinson Crusoé, avec, en guise de parasol, un parapluie fixé avec une ficelle. Johannis avait critiqué mon jardin.

« Tu devrais mettre toutes les fleurs en lignes, sinon c'est comme la jungle. »

Nenek n'était pas d'accord.

« C'est un bon jardin. J'ai planté du café. Je suis sûr qu'il poussera ici. (Puis, changeant de sujet :) Combien coûte une maison comme celle-ci ? »

Je le lui dis.

« Quand même, ce n'est pas possible ? »

Nous refîmes les calculs. Ils étaient justes. Nenek me regarda, stupéfait.

« Vous avez *tant* d'argent que ça ? (Je lui expliquai les emprunts immobiliers sur trente-cinq ans. Il éclata de rire.) Quand je pense que les Hollandais n'arrêtent pas de nous répéter que nous sommes fous de dépenser tout notre argent pour acheter des buffles à sacrifier ! Vous êtes pareils avec vos maisons. Les maisons sont importantes pour nous, mais nous ne dépenserions jamais *autant*. Procurez-moi le bois et je vous en construirai une pour beaucoup moins cher.

— C'est différent ici, Nenek, expliqua Johannis avec la sagesse de quelqu'un qui a l'expérience du monde. Ici, ils n'ont pas de frais de scolarité à payer. »

Toujours son obsession.

Nenek indiqua un homme qui travaillait chez lui, deux ou trois portes plus loin.

« Qui est-ce ?

— Je n'en sais rien, Nenek. Il habite juste ici.

— Vous ne connaissez pas son nom ?

— Non.

— Il n'appartient pas à votre famille ?

— Non. »

Il posa son couteau et me contempla en silence, impressionné.

« Vraiment, vous devez être très fort pour vivre si seul. »

Ils ont colonisé la cuisine, sculptant, peignant, aiguisant leurs couteaux. Nous cuisions le riz dans un vrai atelier d'artisanat.

Ils trouvaient un usage à beaucoup de choses que nous considérions comme des déchets. Des tuyaux en plastique abandonnés après un travail de plomberie ont fait des manches neufs pour leurs couteaux. De vieilles ardoises du toit ont été promptement transformées en excellentes pierres à affûter. Nenek a ramassé quelque part une bouteille de champagne vide dans une benne et s'en est servi pour broyer de l'argile et fabriquer ainsi des pigments minéraux — symbole poignant de notre culture de gaspillage. Les plateaux repas en plastique de l'avion étaient bien trop précieux pour être jetés, et ils les avaient emportés en cachette. Maintenant, ils les utilisaient comme récipients pour leurs peintures.

Nenek adorait les enfants. Souvent, il sculptait de petits panneaux représentant des buffles, et il les offrait aux gamins qui venaient le voir. Les parents et les enseignants étaient si émus par ce geste inattendu qu'ils repartaient en pleurant. C'était ainsi que les Torajas entretenaient leur réputation de grands promoteurs des larmes.

Les problèmes avec les « papillons » indonésiens ne se sont pas terminés à Surabaya et à Ujungpandang. La marque la plus populaire de lampes à pétrole pressurisées est aussi un «papillon» en Indonésie. Cependant, on ne risque aucun malentendu quand on entre dans une quincaillerie et qu'on demande un «papillon» à la jeune Chinoise derrière le comptoir. Elle vous dira simplement : «*Asli atau biasa ?*» «Voulez-vous la vraie ou la normale ?» Et la question vous prendra de court. En Indonésie, les lois qui protègent la propriété industrielle sont rudimentaires. La plupart des objets sont reproduits et ce jusqu'à leur nom de marque. Les copies sont souvent tout aussi bonnes que l'original, mais on s'attend à ce qu'elles soient moins chères.

La question pouvait aussi se poser au sujet de la construction de nos sculpteurs. Normalement, dans leur village natal de Baruppu', les greniers à riz n'ont pas de toit en bambou. En général, les toits sont faits avec des tuiles de bois ou l'écorce interne d'un certain palmier, un matériau qui ressemble assez à un tampon Jex. Quand vous demandez pourquoi, les villageois vous expliquent qu'un terrible incendie, quelque trente ans auparavant, a détruit tous les bambous appropriés. Si on voulait utiliser des tuiles de bambou, il fallait les importer à grands frais de la vallée. Seul un riche pouvait avoir une telle idée. Vous évoquez alors les magnifiques bosquets de bambous qui poussent autour du village — ceux-là mêmes qui causèrent la perte du cousin de Johannis —, et ils vous répondent qu'ils ne sont pas sûrs mais que selon toute probabilité ce bambou ne convient pas aux toits. Dans la mesure où ceux-ci sont faits pour durer cinquante ans et que l'incendie en question s'est produit trente ans plus tôt, le calcul ne tombe pas tout à fait juste. En réalité, il semble que si tout le monde sait qu'un grenier — dans l'idéal — devrait avoir un toit en bambou, personne en revanche ne peut, ou ne veut, dépenser l'argent pour ça.

Quand nous avons discuté du nôtre, les Torajas ont été horrifiés à l'idée qu'un grenier *dans un musée* pût avoir

234

autre chose qu'un toit en bambou. Ce serait grossier et déplacé, expliquèrent-ils en riant. Ils auraient honte. Ils seraient ridicules, au cas où des gens viendraient d'Indonésie. Le grenier du musée avait donc droit à un beau toit en bambou d'un modèle rarement construit, mais qu'ils avaient en tête depuis leur enfance. Je ne savais pas si cela le rendait *plus* authentique ou *moins*. C'était, semblait-il, la raison pour laquelle Karre était là. C'était le seul homme de Baruppu' a avoir déjà fabriqué un toit en bambou. Ses estimations du temps et des matériaux nécessaires à cette tâche révélèrent cependant un certain manque d'expérience. Un jour, il annonçait que le toit prendrait deux mois. Et qu'il n'avait que la moitié des matériaux nécessaires. Le lendemain, il ne lui faudrait plus que trois semaines et il lui resterait beaucoup de bambous. Les très mauvais jours, les sculpteurs tenaient de longs conciliabules à ce sujet, puis ils montaient dans mon bureau pour étudier la photographie d'un tel grenier, qu'ils tournaient et retournaient d'un air sombre. Tout cela me perturbait beaucoup, car il n'existait absolument aucune possibilité de se procurer un supplément de bambous en Angleterre à un stade aussi tardif.

Outre le plaisir que prenait le public au spectacle, le grenier à riz offrait aussi une excellente occasion de documenter tout le processus de sa fabrication et de rassembler des informations très difficiles à obtenir sur le terrain. Son importance culturelle était de plus en plus évidente.

Dans sa forme, il ressemble à une maison toraja, sauf qu'il fait face au sud plutôt qu'au nord. C'est beaucoup plus qu'un simple endroit où l'on entrepose de la nourriture. Il est important également pour les esprits qui contrôlent la production de riz.

En anthropologie, les Torajas sont connus comme l'exemple typique d'une forme de classification appelée «opposition binaire complémentaire». Derrière une formule aussi barbare se cache en réalité un principe très simple. L'univers est divisé en contraires tels que lumière/obscurité, droite/gauche, mâle/femelle, vie/mort, qui déterminent un comportement approprié. En théorie, donc, il est possible de ramener les éléments essentiels de toute cérémonie toraja à ces couples antinomiques. Si l'on assiste à une fête de vie, ce sera le matin, les gens feront face à l'est, ils porteront des vêtements clairs et ainsi de suite. S'il s'agit d'une fête de mort, il sera plus de midi, les gens feront face à l'ouest, vêtus de noir, et ainsi de suite. De telles classifications sont à l'œuvre dans les actes les plus banals et apparemment les plus irrationnels de la vie quotidienne — une structure cachée sous-tendant le chaos apparent d'une autre culture. Hélas, ça ne marche jamais exactement comme ça.

Le grenier à riz, nous l'avons dit, ressemble à une maison dont toutes les directions sont inversées. C'est particulièrement évident quand on invite des hôtes de marque sur la plate-forme du grenier. Au lieu de s'asseoir au nord-est, le côté normalement favorable, ils s'installent au sud-ouest d'habitude associé à la mort. Ainsi, dans le grenier à riz, l'organisation spatiale habituelle est-elle inversée. C'est peut-être bizarre, mais cela participe en fait d'un phénomène plus large d'inversion et de médiation. Les médiateurs, des choses qui n'appartiennent pas une catégorie bien définie, sont souvent inversés. Dans notre propre culture, le meilleur exemple de la chose, c'est le passage entre l'ancienne et la nouvelle année. Lors des fêtes du Nouvel An, des officiers de l'armée de terre se mettent au service de leurs hommes ; on y voit aussi toutes sortes d'absurdités en matière d'habillement et de comportement.

Les rites torajas séparent et opposent rigoureusement les cérémonies de l'est et de l'ouest, celles de la vie et de la mort. Le seul endroit où celles-ci se rencontrent, où elles font l'objet d'une médiation, c'est le grenier à riz.

C'est là qu'on conserve la semence pour la récolte de l'année suivante. C'était là aussi, à l'époque où les Torajas étaient des coupeurs de têtes, qu'ils entreposaient les crânes humains pour augmenter la fertilité et le bien-être général — c'est le lieu, donc, où la vie et la mort se retrouvent et où elles se transforment l'une en l'autre.

Dans de nombreuses régions du pays, c'est le moment où le cadavre est posé sur le grenier à riz qui marque le début officiel de sa mort. Jusque-là, on dit du défunt (pour nous) qu'«il a la migraine». Ils ne font pas cela à Baruppu', où ils ont un raffinement supplémentaire. Le mot désignant le grenier à riz, c'est *alang*. Et le brancard sur lequel le cadavre est transporté jusqu'à la tombe a la forme d'un grenier à riz, mais il est fait de matériaux jetables : du papier et du contre-plaqué. On l'appelle *alang-alang*. Le grenier à riz est donc l'appareil qui transporte les gens d'une position rituelle à une autre. L'inversion des directions est appropriée.

Pourtant, ces explications semblent elles aussi insuffisantes. Nenek m'a fourni beaucoup d'informations sur les fêtes et les greniers à riz pendant qu'il travaillait au musée mais, fait intéressant, alors que les directions géographiques en jeu étaient toujours exactes, il modifiait constamment leurs raisons d'être. Pourquoi un invité de marque s'asseyait-il au sud-ouest du grenier, le côté défavorable? Parce que le grenier regardait le sud et non le nord, et que donc les directions étaient changées. Était-ce pour cela qu'un prêtre de vie s'asseyait à l'ouest? Non, c'était pour faire face à l'est, le côté favorable. Plus on essayait de relier des classifications abstraites à ce que faisaient effectivement les Torajas, plus la solidité du système devenait évidente . il y avait toujours un moyen de justifier leurs actes, même s'il était en contradiction avec un autre invoqué plus tôt. Ainsi, les classifications n'étaient pas ces règles de fer qu'elles semblaient être pour l'étranger — juste quelque chose dont on tenait compte avec déférence.

Les sculptures d'un grenier sont identiques à celles d'une maison. Chaque motif porte un nom, et sa position sur le grenier obéit à certaines règles. Par exemple, celui des coqs sur les rayons de soleil se place haut sous les avant-toits et associe plusieurs significations. On a écrit des livres entiers sur les motifs des sculptures torajas.

Pendant la construction, j'ai découvert un autre aspect du processus. J'étais monté sur le grenier pour réaliser des photos de la technique de fixation des tuiles et je plaisantais avec les sculpteurs. En bas, Nenek poussa soudain un cri de rage.

« Arrêtez ça ! hurla-t-il. On ne doit jamais plaisanter sur un grenier à riz. (Je lui ai demandé ce qu'il voulait dire.) La maison est la mère, expliqua-t-il, et le grenier à riz le père. (Encore une opposition binaire.) Quand on construit une maison, on peut bavarder et s'amuser, ça n'a pas d'importance. Mais un grenier à riz est une chose masculine, il est sérieux. Les souris sont des animaux joueurs. Si on plaisante en construisant un grenier à riz, elles l'envahiront et dévoreront le riz. »

La religion toraja fait grand usage des sacrifices d'animaux. Nenek tenait absolument à ce que la cérémonie voulue marquât l'achèvement du grenier à riz. Normalement, à Tana Toraja, on aurait abattu un porc et Nenek aurait prononcé une bénédiction. Mais toutes sortes de raisons, légales, morales, sanitaires, rendaient embarrassante cette célébration dans un musée public. Nenek le comprenait, mais le regrettait.

« Ce n'est pas bien. Ce n'est pas traditionnel. »

Il avait appris le pouvoir de ce terme dans un musée ethnographique.

Je lui ai proposé d'acheter un quartier de porc. Nenek a refusé.

238

«Un grenier à riz, affirma-t-il avec emphase, a besoin de sang.»

Il allait en avoir.

J'étais sur le toit en train de discuter — mais surtout pas de plaisanter — avec les sculpteurs.

«Passez-moi cette machette, me dit Tanduk, celle-là, plantée dans le bambou.»

Je tendis la main et attrapai le bambou, sans me rendre compte que la lame dépassait de l'autre côté. Les instruments tranchants des Torajas sont affûtés comme des rasoirs. D'ailleurs, les sculpteurs se rasaient avec leurs couteaux. La machette m'entailla un doigt et m'ouvrit l'artère. Un jet palpitant de sang jaillit par-dessus le faîte du toit. Alors que je me précipitais pour recevoir les premiers soins, j'entendis une petite voix crier derrière moi d'un air triomphant :

«Nous n'avons plus besoin de tuer ce porc maintenant.»

De tous les sculpteurs, Nenek était de loin le plus aventureux. Quand on les interroge sur les raisons qui leur ont fait remettre en question les habitudes de toute une vie pour se lancer dans quelque chose de nouveau, les Indonésiens ont une réponse toute prête : c'est le désir de *cari pengalaman*, «chercher de l'expérience», une démarche considérée obligatoirement comme bonne. Nenek était toujours en proie à ce besoin de découverte. S'il y avait dans les environs un grand immeuble ou une colline à escalader, Nenek voulait le faire. S'il y avait quelque chose de nouveau à manger ou à boire, Nenek était le premier à essayer.

«Il est trop vieux. Laisse-le à la maison», disait Johannis avec le manque de cœur propre à la jeunesse.

Mais Nenek refusait de rester en arrière. Chaque matin, quand je descendais silencieusement l'escalier, l'esprit encore embrumé, il était déjà installé dans la cuisine, sculptant avec entrain en attendant que je lui prépare une tasse de thé. (J'ai appris plus tard qu'un prêtre toraja n'a pas le droit de boire de café.) Le deuxième jour, il m'avait surpris.

« *Mercowe* », m'avait-il dit.

Je n'avais pas compris. On aurait dit le nom d'un monstre marin du *Beowulf* [1]. Ce devait être du toraja. Je m'étais promis de demander à Johannis

« *Mercowe*, avait-il insisté, en me fixant.

— Je ne comprends pas, Nenek. »

Il m'avait pris par la main et conduit à la porte d'entrée. Le paillasson, avec le mot *welcome* écrit dans sa masse, était à l'envers et la tête en bas. On lisait *mercowe*. Il avait commencé à apprendre l'anglais.

Nenek adorait regarder des animaux étranges. Cette étrangeté incluait de nombreuses espèces indonésiennes qu'il n'avait jamais vues. C'est le zoo qui, sans aucun doute, eut le plus grand succès. Devant les orangs-outans, les Torajas ont sauté de joie. Ils furent, comme il se doit, rebutés par les serpents, qui provoquaient chez eux cet agréable petit *frisson* que nous procure un film d'horreur. Un garnement terrifia Nenek avec un serpent en caoutchouc, dans le vivarium. Après avoir réalisé son erreur, il rit pendant plusieurs jours.

« J'aime ça quand les gens font des farces. »

Nenek adora le gorille.

« Wouah ! Vous êtes sûr qu'il ne peut pas nous attraper ? »

La girafe était un concept tellement étranger qu'il refusa tout d'abord d'accepter sa réalité.

« Est-ce qu'elle est née comme ça ? Est-ce qu'elle mange les gens ? »

Ce ne furent pas les animaux auxquels on aurait pu s'attendre qui attirèrent leur attention. Ils ignorèrent le

---

1. Poème héroïque anglais du VIIIe siècle. *(N.d.T.)*

buffle et le bison, bien trop au cœur de la vie des Torajas. Les chevaux présentaient davantage d'intérêt : un cheval anglais est deux ou trois fois plus grand qu'un cheval toraja. Et surtout les chiens.

Les Torajas sont relativement gentils avec les chiens. Ils les mangent, mais ça ne les empêche ni de les caresser ni de leur parler. La plupart des chiens torajas ne sont pas très différents des créatures rabougries, aux oreilles droites, qui sont la norme dans toute l'Asie du Sud-Est, mais les Hollandais ont aussi importé dans l'île quelques spécimens très admirés, avec leurs absurdes poils pelucheux. La diversité des chiens anglais et leur droit de circuler librement dans les maisons les étonnèrent. Leur rencontre avec un danois fut extraordinaire.

« Ça, c'est un *chien* ? »

Effectivement, il était presque aussi gros qu'un cheval toraja. D'abord terrifiés, ils furent vite conquis par son bon caractère. Au bout de cinq minutes, Nenek le caressait, mais on avait l'impression qu'il réfléchissait au meilleur moyen de le découper aux articulations.

Ce ne fut pourtant pas le danois qui les marqua le plus. Un jour, à leur retour, ils étaient vraiment hilares.

« Le parc, dirent-ils, est plein de fous. »

Oh, Seigneur !

« Qu'est-ce qu'ils faisaient ? »

Nouveaux gloussements.

« Ils tournaient en rond… avec des chiens… au bout de morceaux de ficelles. »

Le rire les reprit.

« Mais vous faites la même chose avec les buffles. Vous les emmenez se baigner. J'ai vu des gens passer de l'huile sur leurs sabots et brosser leurs cils. »

Ils durent en convenir d'un ton vexé. Mais c'était différent. Faire ça avec un chien, c'était comme de le faire avec une souris. Dingue !

Au cours de leur deuxième mois de séjour, le temps s'améliora et ils purent visiter certains monuments de la ville. Ils ne s'intéressèrent pas aux vieux édifices en pierre. Le grand âge attribué à l'abbaye de Westminster et à d'autres églises n'impressionna même pas les chrétiens qu'ils étaient. Ils trouvèrent la Tour de Londres et Greenwich franchement ennuyeux. Ce fut le Tower Bridge qui connut le plus de succès. J'ai demandé pourquoi à Johannis.

«Il est sur des calendriers en Indonésie», me répondit-il.

Le ministère des Affaires étrangères remporta une seconde place inattendue à leur hit-parade. Je les avais entraînés dans une promenade sans but précis dans le centre de Londres. Ils ont remarqué par hasard les sculptures qui entouraient la porte de ce bâtiment. C'était un motif géométrique simple, mais très proche de celui qui servait de remplissage sur les constructions torajas. Comment était-il arrivé ici ? L'avait-on volé aux Torajas ? Ils étaient tous d'avis qu'il fallait immédiatement courir le demander au ministre.

Nous avons passé une journée à Oxford, un endroit particulièrement inamical et peu accueillant pour les visiteurs. L'entrée de la plupart des monuments intéressants leur fut fermement refusée. Comme d'habitude, il s'avéra difficile aussi de trouver un pub pour échapper à la pluie, et tous les professionnels de la restauration s'étonnèrent que des gens veuillent manger un dimanche. Une seule anecdote sauve cette excursion. Les sculpteurs n'avaient pas l'habitude de maîtriser leur vessie. À Tana Toraja, après tout, on peut uriner n'importe où. Nous étions donc constamment condamnés à des arrêts d'urgence. À l'occasion d'une halte, sur le chemin du retour, ils aspergèrent le mur de derrière de mon ancienne école. Le nombre de coïncidences et d'événements invraisemblables qui s'étaient produits pour que je me retrouve là, en de telles

circonstances, avec les membres d'une tribu de montagnards indonésiens, avait de quoi laisser songeur.

Comme les touristes japonais, quand quelque chose les
impressionnait, ils ne se contentaient jamais d'une photographie ; ils exigeaient aussi un portrait de groupe, et ils
posaient devant la chose en question en la masquant
presque entièrement. Combien de fois les voit-on devant
des endroits célèbres, tous enlacés avec des sourires figés !
Même Nenek et Karre se souriaient fraternellement
devant l'appareil le temps du cliché, avant de recom-
mencer à échanger des regards mauvais.

« C'est comme si on photographiait le chat avec la souris », disait Johannis, ravi.

Deux mois plus tard, le grenier à riz était de plus en
plus convaincant. Les sculpteurs l'avaient agrandi pour
remplir exactement la galerie, ce qui ne manqua pas
d'augmenter mon inquiétude sur nos réserves de matériaux. Le toit avançant, la construction s'est transformée
en une démonstration aérienne. Un grand échafaudage
en bois avait été érigé tout autour et ils s'y balançaient
pour enfiler les tuiles sur des éclisses de rotin et les atta-
cher, une rangée après l'autre. Ils ont obtenu la courbe
caractéristique du toit en reliant la faîtière avec une grosse
corde à un élément du plancher, puis en faisant tourner
un bâton jusqu'à ce que la pression fût suffisante pour lui
donner la forme qui convenait.

Bien que Johannis ne fût là, à l'origine, que comme
traducteur et intermédiaire, il s'impliquait de plus en plus
dans le processus de construction. Il appartenait à une
famille de sculpteurs, mais il n'avait jamais pratiqué ce
genre de techniques, optant pour le modèle moderne
selon lequel l'homme fait son chemin dans le monde
grâce à l'école et à l'université. Son attitude vis-à-vis de
Nenek était donc ambivalente : il lui rappelait ses origines
campagnardes et il l'embarrassait. Pourtant, Johannis

constata rapidement que Nenek était encore plus respecté en Angleterre qu'à Tana Toraja. L'intérêt et l'admiration manifestés pour ses talents de sculpteur et le charme évident de sa personnalité l'étonnaient. Désormais, le soir, ils discutaient tous les deux à voix basse. Un jour, avec un sourire timide, il prit un morceau de bois et il commença à sculpter. Les autres se moquèrent immédiatement de lui, mais il continua tranquillement à travailler, sans perdre son sourire.

Son talent naturel fut immédiatement évident. C'était encore mieux qu'une bonne exécution d'un motif traditionnel. Il bomba le torse avec fierté et s'empressa de vendre son œuvre au restaurant indonésien où il allait chercher leurs repas de midi. Ensuite, il mit les bouchées doubles. Il était capable de produire une trame géométrique sans la moindre hésitation. Bientôt, il alla même jusqu'à innover.

«C'est un motif traditionnel, mais j'ai transformé ces lignes en transistors comme sur les dessins de circuits électroniques de mon cousin...»

En quelques jours, il cessa de peindre les sculptures des autres pour devenir constructeur à part entière. Le soir, la cuisine était encore plus encombrée. Il y avait un nouvel artiste chez moi.

Quand ils ne travaillaient pas, ils restaient collés devant la télévision, harcelant Johannis pour le faire traduire, jusqu'au moment où il n'en pouvait plus. Ils aimaient beaucoup la guerre et le sexe. Les scènes d'amour n'avaient pas besoin d'être très poussées pour être considérées comme hautement pornographiques, puisque la censure en ce domaine est très stricte en Indonésie. Les entendre lancer des exclamations désapprobatrices était le signe certain qu'ils appréciaient le programme. Mais ce qu'ils préféraient, bien entendu, c'étaient les publicités, aujourd'hui interdites à la télévision indonésienne, et ils fredonnaient les refrains dans la salle de bains, les entrecoupant de chansons patriotiques, si répandues dans leur pays. Parfois, ils plaquaient des paroles patriotiques sur les jingles vantant du chewing-gum ou du papier toilette.

Ils avaient toutefois l'esprit très critique. L'Open University[1], par exemple, c'était « trop de baratin, pas assez de femmes et personne ne s'est fait tuer ». Seul Nenek semblait apprécier les émissions au contenu intellectuel. Il suivit un cours complet sur la physique quantique avec un plaisir manifeste, et apprécia de bout en bout l'histoire de feu Ernest Hemingway, se retournant pour remarquer :

« Ça fait du bien de voir des gens vieux comme moi. »

En se rendant au restaurant de Soho, Johannis découvrit un aspect plus sordide de la vie londonienne. Il dut transmettre l'information à Karre, car celui-ci commença à poser des questions sur les activités des « hontesses » (leur version des « hôtesses »). Cependant, il se montra scandalisé par les tarifs (probables) que je lui indiquai.

« Je pourrais avoir un buffle à ce prix-là, et un beau. »

À l'époque, la télévision diffusait des spots fréquents, bien que très brefs, sur le sida, au point qu'un de nos sculpteurs fut persuadé de l'avoir mystérieusement attrapé. Par bonheur, il s'avéra que ce n'étaient que des pellicules.

Tous les parents connaissent ce sentiment soudain que la maison est trop calme : cela signifie que les enfants mijotent quelque chose, et quelque chose de vilain. Un soir, j'eus exactement cette réaction. Cela prouve à quel point je m'étais involontairement glissé dans un rôle parental. Je franchis la porte d'entrée à pas de loup. Du salon montaient des exclamations désapprobatrices et de petits rires bêtes. Avec cette ingéniosité pour laquelle les Torajas mériteraient d'être célèbres, ils avaient conclu un

---

1. Programmes universitaires diffusés par la télévision et la radio anglaises. *(N.d.T.)*

marché avec les serveurs du restaurant indonésien : ils échangeaient leurs sculptures contre des cassettes X, de l'art contre du cochon.

Les relations entre Nenek et Karre restaient glaciales ; parfois Tanduk exerçait une influence modératrice, et parfois il soutenait Karre. Johannis est monté dans mon estime pour la façon dont il dédramatisait le conflit. Ils ont rapidement adapté leur désaccord à la maison anglaise. Karre fut le premier à prendre conscience des possibilités spectaculaires de l'escalier — c'était l'idéal pour une sortie outragée en lançant une dernière insulte par-dessus son épaule. Nenek, lui, découvrit comment claquer les portes. À Toraja, elles sont petites et, en général, elles n'ont pas de poignée qui permettrait de les fermer violemment sans se coincer les doigts. Hélas, plusieurs portes de ma maison ne se prêtaient pas parfaitement à leur petit jeu à cause de la moquette. La seule qui claquait bien, c'était celle de la salle de bains, mais il fallait alors y bouder jusqu'à ce que l'ennui les en chassât.

Même si Johannis savait se montrer diplomate dans les affaires domestiques torajas, il n'en prenait pas moins plaisir à me taquiner. Il glissa un jour dans la conversation que Karre avait déjà eu des problèmes pour des violences contre un autre homme du village.

« Mais c'était une histoire de buffles et de femmes, dit-il doucement. Ça pourrait arriver à n'importe qui. »

Karre lança alors une nouvelle offensive en empiétant sur la sphère de Nenek : il commença à commenter et à interpréter les motifs qu'il sculptait. Alors que les « explications » de Nenek portaient sur les noms des motifs et des principes généraux tels que « richesses » ou « chance », Karre proposa des proverbes. Désignant par exemple le motif conventionnellement appelé « têtards », il déclara devant Nenek :

« Nous les mettons dans un grenier à riz pour montrer qu'on peut vivre nombreux et se respecter mutuellement, comme des têtards dans une rizière. Personne n'essaie d'être le chef. »

Il donna aussi un tour nouveau à l'interprétation des coqs sculptés de l'avant-toit :

« Nous les fixons à cet endroit pour montrer comment les hommes ne devraient *pas* se conduire ; ils ne doivent pas ressembler à des animaux qui se placent au-dessus des autres. »

À sa manière, Karre démontrait que les motifs traditionnels de la vie toraja pouvaient s'adapter aux exigences d'une nouvelle moralité. Comme les oppositions binaires apparemment rigides de la classification toraja, leur utilisation était infiniment flexible.

Finalement, nous n'avons pas manqué de matériaux pour le toit du grenier à riz. Le chantier fut terminé en temps voulu et nous avons pu organiser une cérémonie solennelle d'achèvement, au cours de laquelle Nenek, s'il ne sacrifia pas de porcs, prononça une bénédiction, à la grande fureur de Karre.

Les relations entre eux se détériorèrent plus encore après que Nenek eut terminé le grenier en sculptant son nom avec de grandes lettres sur la porte. Karre se leva très tôt le lendemain et effaça le nom.

Nenek garda son calme.

« C'est un homme sans culture », déclara-t-il avec dédain.

Il était heureux, d'après moi, que cela confirmât son opinion sur son ancien élève.

Il m'attira à l'écart.

« Attendez que nous soyons partis et remettez mon nom à la peinture. »

Puis le moment que je redoutais arriva : la paye. À l'origine, le contrat avait été négocié en buffles, mais il existe un taux de change qui permet de convertir les buffles en argent. Les deux jeunes sculpteurs avaient décidé qu'ils préféraient de l'argent et Nenek avait accepté. C'était étonnant. Le problème avec le liquide, c'est que des parents rapaces risquent de s'en emparer et de le diviser à l'infini, tandis qu'un buffle est indivisible. La question, à présent, était de savoir si je donnais la même somme à tout le monde, ou si Nenek, en tant que chef, devait recevoir davantage. Les deux autres sculpteurs étaient pour la première solution. Au beau milieu de l'opération, je me vis soudain tel qu'ils devaient me voir : un petit homme âgé, debout sur une plate-forme en bambou, à la fin de funérailles, distribuant la viande, appelant les noms et jetant à chacun des morceaux de buffle mort. C'est le moment où le standing et le rang des personnes présentes sont étalés devant tout le monde et fixés pour des années, c'est le temps des passions violentes et des nerfs à vif, c'est là que les ressentiments remontent à la surface et que les bagarres éclatent. Déjà, Nenek se hérissait, indigné, prêt à bondir sur ses pieds. Karre avait les bras croisés, l'air agressif. Même le doux Tanduk paraissait furieux. Seul Johannis souriait, jouissant du malaise des autres. Manifestement, le débutant que j'étais allait passer un mauvais quart d'heure. Après quelques moments délicats, nous sommes pourtant parvenus à une solution satisfaisante : tout le monde recevrait le même *paiement* et Nenek aurait un *cadeau* supplémentaire. L'essentiel, c'était que les autres sachent qu'il avait de l'argent en plus, mais qu'ils n'aient aucune idée de la somme.

« Qu'allez-vous faire avec ça, Nenek ? »

Ses yeux pétillèrent.

« Je vais l'économiser. Le mettre de côté pour mes vieux jours. »

Passer un accord tel que celui-ci, et avec des représentants d'une culture très différente de la nôtre, posait de graves problèmes moraux. C'est même un espace éthique dont *toutes* les issues sont bouchées d'avance. Les expositions ethnographiques qui mettent des gens en scène n'ont rien de nouveau. Elles étaient très courantes au XIX⁰ siècle. La principale attraction de l'une d'elles, à l'époque, ce fut un Philippin sauvage qui mangeait un chien mort.

Les participants n'avaient aucune idée de ce qui les attendait et on les traitait comme des animaux de zoo. Parfois, à la fin d'une exposition, ils étaient simplement jetés dehors et abandonnés à eux-mêmes.

Le monde a changé depuis, mais les rapports de pouvoir sont restés très inégaux. Il est difficile de protéger des gens dans un monde qu'ils ne comprennent pas sans être accusé de paternalisme, ou de les laisser prendre des initiatives sans être accusé de négligence. Les traiter comme on traiterait des Anglais, c'est de l'impérialisme culturel, insister sur leurs différences sent le racisme. Demander aux membres d'une autre culture de « se mettre en scène » semble humiliant pour eux, alors que ça ne l'est pas pour nos propres artistes. De toute évidence, cependant, les Torajas ne se sentaient pas diminués, mais honorés. Ils n'enfilaient pas un costume tribal pour une représentation devant des touristes. Pour les sculpteurs, il s'agissait d'un contrat comme un autre pour la construction d'un grenier à riz. Ils retournaient dans leur propre culture plus riches et avec un statut plus élevé. Les parents de Johannis s'étaient montrés intraitables là-dessus.

« Nous ne le laisserions pas partir si nous ne vous connaissions pas et si nous n'avions pas confiance en vous. Il veut y aller. Ce sera bien pour lui. »

C'est important d'organiser une exposition qui ne se contente pas de « prendre » quelque chose à un pays du tiers-monde, mais qui défend un talent menacé. Dans un sens, ma plus belle récompense fut que Johannis, un Toraja « moderne », eût commencé à sculpter — c'était comme s'il était devenu pleinement toraja en venant à

Londres. Ce fut toutefois avec des sentiments mitigés que je l'écoutai m'expliquer que, maintenant qu'il avait assez d'argent pour aller à l'université, il lui faudrait rédiger une thèse et que, m'ayant regardé travailler, il avait décidé de prendre son grand-père comme sujet... Il allait bientôt établir cette frontière entre la vie traditionnelle et la vie moderne qui qualifie la première de « coutume » — une casquette, ou, dans ce cas précis, une toque universitaire, qu'on peut porter sans y penser ou ôter, selon son bon plaisir.

Qu'avaient-ils perçu de nous ? Il est probablement plus facile qu'on ne croit d'obtenir une réponse à ce sujet. Les Torajas sont d'une franchise rafraîchissante. Un jour, par exemple, j'offris une chemise à Johannis. Il me remercia. Mais quand je lui demandai si elle lui plaisait, il répondit que non, vraiment, il ne l'aimait pas. Les Torajas disent souvent la vérité là où nous raconterions de petits mensonges juste par politesse.

Quand le moment vint pour eux de rentrer, deux d'entre eux avaient le mal du pays et deux ne l'avaient pas. Johannis me dit qu'il avait apprécié le séjour, mais qu'il attendait le départ avec impatience. Tanduk n'avait qu'une envie : retourner chez lui pour s'occuper de ses rizières. Il m'expliqua qu'il avait sept enfants, et que c'était pour ça qu'il voulait partir. Karre, lui, en avait huit, et c'était pour ça qu'il voulait rester. N'y avait-il pas d'autres personnes, ici, qui avaient besoin d'un grenier à riz ? Il serait ravi de le leur construire. C'était Nenek qui tenait le plus à rester, et ce fut cela le plus étonnant.

« La nourriture est bonne ici. Les Anglais sont plus gentils. Pourquoi voudrais-je m'en aller ? J'ai planté du café dans votre jardin. Je veux le récolter. »

Un critique remarqua que c'était bien beau de faire venir ces gens ici et de les traiter avec amitié, mais qu'ils n'en seraient que plus malheureux lorsqu'ils se retrouveraient chez eux. C'est un bon argument pour ne jamais se montrer «amical» avec personne. Un seul incident me fit douter des conséquences de cette aventure pour les Torajas.

Dans une large mesure, l'anthropologie néglige les individus pour s'occuper de généralisations. Celles-ci sont toujours un petit mensonge au service d'une plus grande vérité. J'avais pourtant le sentiment que j'avais invité quatre Torajas et que je quittais quatre individus. Ce n'étaient plus de simples représentants d'une culture particulière, mais des personnes réelles. À la manière indonésienne, j'ai acheté à chacun d'eux un présent avant leur départ, quelque chose qui leur permettrait de se souvenir de moi. Pour trois d'entre eux, le choix était évident. Ils avaient vu et admiré certains objets. Mais Karre posait un problème. Je lui demandai s'il y avait ici quelque chose qui lui plaisait et qu'il ne pourrait pas se procurer à Baruppu'. Il me dit que oui. Maintenant qu'il avait tout cet argent, il voulait une serrure solide pour sa porte, parce qu'on allait essayer de le lui voler.

Les aéroports ne sont pas faits pour les adieux. Des Torajas attendraient les sculpteurs à Djakarta et veilleraient sur eux, mais là, avec leurs bagages empilés autour d'eux, et avec leurs chaussures, on aurait dit des réfugiés. Comme il fallait s'y attendre, ils fondirent en larmes et sanglotèrent de tout leur cœur. Je me suis souvenu de ce plateau battu par les vents où des Torajas m'avaient signifié notre humanité commune en m'offrant de pleurer avec eux. Cette fois encore, je ne me suis pas retenu.

«Envoyez-moi une lettre, dit Nenek. Johannis peut me la lire.»

Quatre de mes mouchoirs sont partis avec eux. Alors que mes invités allaient disparaître, les alarmes des portiques retentirent soudain et on entendit le bruit de bottes des hommes de la sécurité qui se précipitaient. Je leur avais rappelé qu'ils n'avaient pas le droit de transporter de couteaux ni d'épées dans leurs bagages à main. Je n'avais pas imaginé qu'ils les avaient mis dans leurs poches et qu'ils les portaient autour de la taille.

Johannis, gêné, se mit à rire; les trois autres avaient l'air inquiets. On refusa de me laisser franchir la barrière. Je ne pouvais plus rien faire. Ils étaient déjà sur le chemin du retour vers leur monde à eux. On piétina et on agita beaucoup la tête; des hommes en uniforme se grattèrent le menton. Finalement, les «armes» furent confisquées, et on les conduisit à l'avion. Johannis se retourna et m'adressa un dernier rire. Nenek était trop petit pour voir au-dessus de la barrière, mais j'entendis une voix qui criait :

«N'oubliez pas de récolter le café!»

REMERCIEMENTS DU TRADUCTEUR

Un grand merci à Dominique Brotot, à Caroline et Christophe Bonnet (mes deux voyageurs indonésiens préférés) et à Marie Léris (pour sa patience), qui m'ont soutenu tout au long de ce travail. Et aussi à Heidi et Bob Raymond, qui savent pourquoi. L'édition française du guide *Lonely Planet* sur l'Indonésie, même avec la jolie bourde de la page 871 sur Nigel Barley, m'a été indispensable, tout comme les divers sites Web où j'ai picoré mes informations. Vos E-mail : berblanc@club-internet.fr

TABLE DES MATIÈRES

Voyageurs Payot

Voyageurs Payot (suite)

4ᵉ édition

ISBN 2-228-89114-2
COMPOSITION BUSSIÈRE
IMPRESSION BUSSIÈRE CAMEDAN IMPRIMERIES À SAINT-AMAND (CHER)
Nº D'IMPRESSION : 1/3196
DÉPÔT LÉGAL : OCTOBRE 1997.

Imprimé en France